ON VEUT
VOTRE BIEN
ET ON L'AURA

Les Éditions Transcontinental
1100, boul. René-Lévesque Ouest, 24ᵉ étage
Montréal (Québec) H3B 4X9
Téléphone: 514 392-9000 ou 1 800 361-5479
www.livres.transcontinental.ca

Pour connaître nos autres titres, consultez le **www.livres.transcontinental.ca.** Pour bénéficier de nos tarifs spéciaux s'appliquant aux bibliothèques d'entreprise ou aux achats en gros, informez-vous au **1 866 800-2500.**

Catalogage avant publication de Bibliothèque et Archives nationales du Québec et Bibliothèque et Archives Canada

Nantel, Jacques, 1956-
On veut votre bien et on l'aura : la dangereuse efficacité du marketing
Comprend des réf. bibliogr.

ISBN 978-2-89472-550-4

1. Marketing - Aspect social. 2. Consommation (Économie politique). 3. Consommateurs - Comportement. 4. Marketing sur Internet. 5. Marketing - Aspect moral. I. Krol, Ariane. II. Titre.

HF5414.N36 2011   658.8'02   C2011-941871-1

Révision: Jean Bernard
Correction: Sabine Cerboni
Photo des auteurs en couverture: Maude Chauvin
Illustrations: Courtoisie du Commissariat à la protection de la vie privée du Canada.
Mise en pages: Diane Marquette
Conception graphique de la couverture: Annick Désormeaux et Anne-Laure Jean
Impression: Transcontinental Gagné

Imprimé au Canada
© Les Éditions Transcontinental, 2011
Dépôt légal – Bibliothèque et Archives nationales du Québec, 3ᵉ trimestre 2011
Bibliothèque et Archives Canada

Nous reconnaissons l'aide financière du gouvernement du Canada par l'entremise du Fonds du livre du Canada pour nos activités d'édition. Nous remercions également la SODEC de son appui financier (programmes Aide à l'édition et Aide à la promotion).

Les Éditions Transcontinental sont membres de l'Association nationale des éditeurs de livres.

Imprimé sur Rolland Enviro110, contenant 100% de fibres recyclées postconsommation, certifié Éco-Logo, Procédé sans chlore, FSC Recyclé et fabriqué à partir d'énergie biogaz.

Jacques Nantel
avec Ariane Krol

ON VEUT
VOTRE BIEN
ET ON L'AURA

Les Éditions
Transcontinental

À ces journalistes qui, par leur indignation informée, provoquent d'importantes réflexions au sein de la communauté universitaire. Ils sont une source d'inspiration et un rappel aux obligations de ma tribu.

- Jacques Nantel

À tous ces professeurs d'université qui, ne vivant pas dans une tour d'ivoire, acceptent de répondre à brûle-pourpoint aux questions les plus incongrues des journalistes. Grâce à vous, nos propos sont plus intelligents et les citoyens, mieux informés.

- Ariane Krol

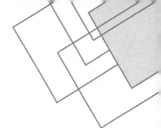

Table des matières

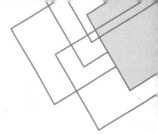

Introduction

« Je ne suis pas assez riche pour acheter de la mauvaise qualité. »

C'est ce qu'avait l'habitude de dire Yvonne, ma grand-mère maternelle. Devenir veuve à 41 ans, en 1935, sans grand héritage, ne l'a pas empêchée d'élever dignement ses trois enfants, ni de gâter ses 16 petits-enfants. Elle est morte avec peu de choses, toutes de qualité cependant, sans dette et avec beaucoup de fierté.

C'est un peu en pensant à Yvonne que j'ai écrit ce livre. À elle, mais aussi à une époque où les gens, qu'on n'appelait pas encore des « consommateurs », savaient faire un budget. Cela rendait les marchands, les manufacturiers et les financiers un peu plus scrupuleux : ils se sentaient surveillés.

C'est, je l'avoue, un peu par hasard que je me suis retrouvé à étudier le marketing au début des années 1970. Pourquoi un tel choix à une époque où Woodstock avait pas mal plus la cote que la mise en marché des stocks ? À la sortie du collège, je m'étais inscrit en administration, sans trop savoir ce qui m'y attendait. C'est seulement vers la fin de ma deuxième année que le marketing, qui n'était alors qu'une science émergente, m'a interpellé. « Un ensemble de méthodes et de moyens utilisés pour répondre, de

manière économiquement rentable, aux besoins des consommateurs.»
Voilà quelque chose qui me plaisait. Pour un étudiant en administration,
l'élément «économiquement rentable» allait de soi. Mais c'est l'autre partie de la définition qui m'a vraiment accroché: «répondre aux besoins».
Pour un jeune homme ayant fait son cours classique dans un collège
jésuite dont la devise était «Former des hommes et des femmes pour les
autres», il y avait là comme un signe. J'allais pouvoir servir tout en faisant
des sous! J'avais été à bonne école chez les Jésuites...

J'ai adoré mes années passées à étudier le marketing, particulièrement au
doctorat. Ce mélange d'économie, de statistiques, de modélisations quan-
titatives et, surtout, de psychologie, avait tout pour me séduire.

Toutefois, c'est une profession qui implique de lourdes responsabilités. En
particulier quand on choisit de former ceux qui la pratiqueront ensuite.
Car, plus on comprend les ressorts intimes de ses semblables, plus il devient facile de les manipuler.

Si le marketing peut aider les entreprises à répondre de manière à la fois
rentable et honnête aux besoins des gens, ceux qui en font leur métier
peuvent aussi être mus par une cupidité sans limite et s'accommoder d'un
manque d'éthique éhonté. Donnez-moi accès à votre profil de consommation (tout ce que vous achetez et, même, ce que vous regardez sans pourtant craquer) et, je vous le garantis, je vous ferai dépenser davantage que
vous ne l'aviez prévu. Y compris pour des articles de mauvaise qualité dont
vous n'aviez pas besoin. Toutes mes excuses, Yvonne!

Le début de ma carrière de professeur a coïncidé avec l'essor du Web. Une
occasion inouïe. Cette nouvelle technologie allait me fournir le plus grand
laboratoire jamais conçu pour suivre et analyser les comportements des
consommateurs. Toutefois, je n'étais pas le seul à l'avoir compris. Il n'a fallu
que quelques années pour que les *pop-ups*, ces fenêtres intempestives qui
suivent les usagers et s'adaptent à leurs comportements, envahissent nos
écrans. Et ce n'était que le début. Je fais partie de ceux qui ont rapidement
cru au potentiel des nouvelles technologies associées à l'informatique.
J'étais convaincu qu'elles allaient révolutionner le marketing. Je n'ai pas été
déçu! C'est exactement ce qu'elles ont fait, pour le meilleur et pour le pire.

Au même moment, les pays de l'Organisation de coopération et de développement économiques (OCDE), en particulier les États-Unis, ont entrepris de libéraliser le crédit à la consommation afin que les ménages puissent soutenir le développement économique. Là non plus, nous n'avons pas été déçus. Des travailleurs gagnant à peine le salaire minimum se sont mis à acheter des maisons de plus de 400 000 $, et les investisseurs à tenir les rendements de 15 % pour acquis. Bref, tout allait pour le mieux dans le meilleur des mondes.

C'est à cette époque, en octobre 2006 plus précisément, que j'ai commencé à donner une conférence intitulée «Quand le marketing dérape». J'y montrais comment le fait de pousser les gens à la surconsommation était devenu un jeu d'enfant, grâce aux nouvelles technologies conçues pour traquer leurs moindres gestes. Et j'émettais de sérieux doutes sur la viabilité d'une croissance fondée sur la consommation – a fortiori une consommation dopée au crédit. Voilà ce qui a été, en quelque sorte, le point de départ de ce livre.

J'aimerais vous dire que mon propos a été accueilli comme une révélation, et qu'on m'a qualifié de visionnaire. Ce serait nettement exagéré. J'ai surtout eu droit à ces regards dubitatifs et à ces bras croisés qu'on réserve aux prophètes de malheur. Du moins, jusqu'à l'automne 2008 quand a éclaté la pire crise financière depuis le krach de 1929. Ensuite, je n'ai plus eu besoin d'expliquer pour convaincre. On savait de quoi je parlais. Vous aussi, j'en suis sûr.

Ce sont donc toutes ces considérations plus ou moins éparses qui m'ont donné le goût de vous parler. Il me manquait toutefois une composante essentielle. Il me fallait une coauteure avec qui travailler, qui saurait donner un style et un rythme à ce livre. Quelqu'un ayant un esprit non seulement critique, mais encore plus critique que le mien. Bref, il me manquait Ariane Krol. Le choix de ma complice d'écriture s'imposait, d'autant que son style poli, mais incisif, agrémentait mes petits-déjeuners depuis des années. En tant qu'éditorialiste au quotidien *La Presse*, Ariane est l'une des rares journalistes qui sachent prendre position face à un néolibéralisme trop souvent peu scrupuleux, tout en comprenant l'importance, pour une nation comme la nôtre, d'un développement économique efficace. Bref, le choix s'imposait de lui-même. Merci, Ariane, pour ces heures de relecture et de réécriture, merci surtout pour ces suggestions et ces remises en question toujours appréciées.

« CE SERA 28,75 $ ...ET VOUS VOUDREZ BIEN ME LAISSER VOTRE CODE POSTAL, VOTRE NUMÉRO DE TÉLÉPHONE ET UN TOUT PETIT ÉCHANTILLON DE VOTRE SANG... »

Ce livre n'est ni un plaidoyer pour la «dé-consommation», ni un brûlot contre le marketing. Ce n'est pas non plus un mea-culpa. J'ai eu la chance, dans ma carrière, de travailler avec des entrepreneurs et des gestionnaires remarquables qui se souciaient véritablement de leur clientèle. Malheureusement, j'ai aussi rencontré mon lot de présidents, de vice-présidents et de directeurs du marketing pour qui cette discipline n'avait pas grand-chose à voir avec l'intérêt des consommateurs. Leurs attitudes, comme leurs comportements, avaient quelque chose de profondément navrant.

En cette époque où l'on voudrait tant que la consommation «reprenne», et où l'on possède des technologies assez puissantes pour tout faire déraper encore une fois, j'ai eu envie de vous parler – comme je le ferais avec un vieil ami – des forces et des travers de mon métier. Comme un ami, je vous mettrai dans la confidence et je tâcherai de ne pas trop me prendre au sérieux. Malgré le titre de ce livre, je ne renie pas ma profession. Au contraire. Je souhaite qu'elle devienne meilleure.

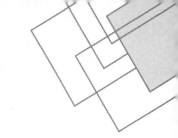

Chapitre 1

Quand votre vie privée l'est de moins en moins

COMMANDER UNE PIZZA... EN 2015

Téléphoniste : « Pizza Hut, bonjour ! »

Client : « Bonjour, je voudrais passer une commande. »

Téléphoniste : « Certainement. Puis-je avoir votre NIN, monsieur ? »

Client : « Mon Numéro d'identification nationale ? Ah oui, un instant. Voilà, c'est le 6102049998-45-54610. »

Téléphoniste : « Merci M. Leclerc. Votre adresse est le 1742, rue Bellerive, et votre numéro de téléphone au domicile le 494-2366. Vous êtes vendeur chez Assurances Lincoln, votre numéro de téléphone au bureau est le 745-2302 et votre numéro de téléphone cellulaire est le 266-2566. Et vous appelez de votre domicile. »

Client : « Euh, oui... je suis à la maison. D'où sortez-vous toutes ces informations ? »

Téléphoniste : « Nous sommes branchés directement sur le système central, monsieur. »

Client : (Soupir) « Ah bon ! Je voudrais deux de vos pizzas spéciales à la viande. »

Téléphoniste : « Je ne pense pas que ce soit une bonne idée, monsieur... »

Client : « Comment ça ?! »

Téléphoniste : « Selon votre dossier médical, vous souffrez d'hypertension chronique, et votre niveau de cholestérol est anormalement élevé. Votre assurance-maladie vous interdit de manger quelque chose d'aussi mauvais pour votre santé. »

Client : « Aïe ! Qu'est-ce que vous me proposez alors ? »

Téléphoniste : « Vous pouvez essayer notre pizza allégée au yaourt de soja et à la luzerne. Je suis sûre que vous l'adorerez. »

Client : « Qu'est-ce qui vous fait dire ça ? »

Téléphoniste : « Vous avez consulté les Recettes gourmandes au soja à trois reprises le mois dernier sur Internet, monsieur. »

Client : « Bon, d'accord. Donnez-m'en deux, format familial. »

Téléphoniste : « Ça devrait être parfait pour vous, votre femme et vos quatre enfants. Ça fera 49,99 $. »

Client : « Je vous donne mon numéro de carte de crédit... »

Téléphoniste : « Je suis désolée, M. Leclerc, mais je crains que vous ne soyez obligé de payer en liquide. Le solde de votre carte de crédit excède votre limite. »

Client : « J'irai chercher du liquide au guichet avant que votre livreur n'arrive. »

Téléphoniste : « Ça ne fonctionnera pas non plus, monsieur. Votre compte bancaire est à découvert et aucun retrait ne vous est permis. »

Client : « Ça ne vous regarde pas ! Contentez-vous de m'envoyer les pizzas, j'aurai l'argent en main. Ça prendra combien de temps ? »

Téléphoniste : « Nous avons un peu de retard, monsieur. Elles seront chez vous dans 45 minutes environ. Si vous êtes pressé, vous pouvez venir les chercher, mais transporter des pizzas en moto est pour le moins acrobatique. »

Client : « Comment diable pouvez-vous savoir que j'ai une moto ? »

Téléphoniste : « Je vois ici que vous n'avez pas honoré les échéances de votre contrat de location automobile et que votre voiture a été saisie. Mais votre Harley-Davidson, par contre, est complètement payée. J'ai donc présumé que vous l'utiliseriez. »

Client : « Ta@#%... de Cal/ $@... de Cibo& ?# ! »

Téléphoniste : « Je vous conseille de rester poli, monsieur. Vous avez déjà été condamné pour ce genre de choses : vous avez insulté un policier en juillet 2006. »

Client : (Sans voix) ...

Téléphoniste : « Autre chose, M. Leclerc ? »

Client : « Non, rien... Ah oui, n'oubliez pas les deux litres de Cola gratuits annoncés dans votre pub. »

Téléphoniste : « Je suis désolée, M. Leclerc, mais une clause d'exclusion de notre publicité nous interdit de proposer des sodas gratuits à des diabétiques. »

J'ai reçu cette blague d'une ancienne étudiante il y a quelques années, après la publication, dans le quotidien montréalais *La Presse,* d'un article sur les logiciels qui permettent d'espionner nos comportements sur le Web[1]. D'abord amusé, je me suis rapidement rendu compte que cette histoire était non seulement possible du point de vue technologique, mais également révélatrice des nouvelles pratiques de marketing. Comme j'avais moi-même largement contribué, par mon enseignement, mes conférences et mes recherches, au développement et à la diffusion de cette forme de commercialisation, un examen de conscience s'imposait.

Voilà plus de 30 ans que j'enseigne le marketing aux étudiants qui se destinent à cette profession ainsi qu'aux gestionnaires qui la pratiquent. Des gens qui savent comment toucher le cœur et le portefeuille des consommateurs. Et qui savent aussi, depuis au moins 10 ans, que leur stratégie doit être de mieux en mieux ciblée. C'est-à-dire de plus en plus personnalisée.

Rassurez-vous, vous êtes bien plus qu'un numéro

S'il vous est déjà arrivé de vous sentir traité comme un numéro, un citoyen perdu dans la masse, rassurez-vous. Les spécialistes du marketing, eux, vous considèrent de plus en plus comme un être unique. Ils font beaucoup d'efforts pour connaître votre pouvoir d'achat et votre potentiel de crédit. S'ils s'intéressent autant à vous, ce n'est cependant pas par gentillesse. C'est parce que c'est payant. Très payant.

Pour développer une stratégie profitable, les gens qui travaillent en marketing, dont je suis, doivent vous suivre à la trace. Pour ce faire, nous avons besoin d'information sur vous. De votre code postal, comme vous l'avez sûrement déjà remarqué. Mais aussi d'autres données : votre âge, une idée de vos revenus, vos achats passés, vos intérêts, vos habitudes de navigation en ligne, et bien d'autres choses encore. De plus en plus, nous cherchons à connaître votre profil de consommation. Et pour ÿ parvenir, nous hésitons de moins en moins à nous immiscer dans votre vie privée.

Toute cette attention, vous l'aurez compris, ne vise que votre bien. Et les spécialistes du marketing réussissent toujours à l'obtenir.

Du marketing direct aux balbutiements du marketing Web

Les plus âgés d'entre vous se souviennent de l'obsession des préposés de la chaîne Distribution aux consommateurs, qui nous demandaient systématiquement notre code postal – plusieurs détaillants le font d'ailleurs encore. Le code postal sert à faire du géomarketing. Cette technique, dont nous reparlerons, a été l'une des premières manifestations de ce marketing que l'on voulait de plus en plus personnalisé. C'est l'application mercantile du vieil adage *Qui se ressemble s'assemble*.

Le géomarketing se fonde sur deux constats. D'abord, les habitants d'un même quartier sont susceptibles de présenter des caractéristiques similaires (âge, scolarité, revenus, culture, langue, etc.). Ensuite, des individus semblables consomment souvent les mêmes produits et services.

Connaître votre code postal en plus de ce que vous venez d'acheter chez moi me permet de proposer aux ménages de votre quartier, ou de quartiers qui ressemblent au vôtre, des produits qu'ils seront plus susceptibles d'aimer et, donc, d'acheter. L'inverse est tout aussi vrai. Si je sais ce qu'achètent vos voisins ou les habitants de quartiers semblables au vôtre, je serai davantage en mesure de vous offrir des produits qui vous séduiront.

Bref, partant du postulat *Qui se ressemble s'assemble*, je peux affirmer : « Dis-moi où tu habites et je te dirai ce que tu consommeras. »

Cette approche, déjà vieille de plus de 30 ans, n'est pas très compromettante pour votre vie privée. On ne vous demande pas votre nom, ni votre adresse, ni même votre numéro de téléphone. Seulement votre code postal.

Sauf qu'au moment où cette technique efficace mais bon enfant se répandait à travers le monde, une autre, tout aussi anonyme mais pas mal moins innocente, faisait son apparition sur le Web.

La révélation de ce qu'allait devenir le marketing électronique m'est apparue au printemps 2000, dans l'avion qui m'emmenait à Atlanta pour donner une conférence sur les nouvelles formes de commercialisation. C'est un article du *Atlanta Business Chronicle* qui a provoqué le déclic. Il racontait l'histoire d'un couple sur le point de poursuivre la compagnie AltaVista (une ancêtre de Google) pour avoir contribué à la destruction de son mariage.

Tout avait débuté quelques mois auparavant. Madame avait alors constaté que, chaque fois qu'elle utilisait le moteur de recherche d'AltaVista sur l'ordinateur familial, une publicité l'incitant à visiter un site pornographique s'affichait en haut de la page des résultats. Offusquée, elle avait écrit à AltaVista pour se plaindre. On lui avait expliqué que, si elle recevait de telles propositions, c'était tout simplement parce que les personnes qui avaient déjà navigué sur le Web à l'aide de cet ordinateur cherchaient des sites pornographiques. Madame venait d'expérimenter, de manière très concrète, le tout premier mécanisme d'invasion de la vie privée sur le Web : les témoins, mieux connus sous le nom de «*cookies*», et aussi appelés «mouchards», annonciateurs de bien des choses à venir.

«ET POUR MON PROCHAIN NUMÉRO, JE VAIS DEVINER VOTRE NOM, VOTRE ADRESSE, VOTRE DATE DE NAISSANCE, LE SOLDE DE VOTRE COMPTE DE BANQUE ET TOUS LES DÉTAILS DE VOTRE DERNIER VOYAGE DANS LE SUD! »

Vous devinez la suite. Comme madame ne visitait pas de sites pornographiques et que monsieur était le seul autre utilisateur de l'ordinateur, l'affaire s'est soldée par un divorce. Une histoire comme on n'en lit qu'aux États-Unis.

C'est donc par cet exemple que j'ai commencé ma conférence à Atlanta. J'en ai aussi utilisé un autre, un fait que j'avais vécu deux ans plus tôt, en 1998. À cette époque, je cherchais un vieux film, *The Birth of a Nation,* que j'avais vu des années auparavant. Un film de deux heures et demie, en noir et blanc, muet, réalisé en 1915. Pas exactement le genre de production que l'on retrouve dans la section des nouveautés du club vidéo du coin. Comme j'enseignais les principes du marketing électronique depuis deux ans déjà, la solution était simple: Amazon.com. Bien entendu, ce titre était disponible. Et je l'ai reçu en moins d'une semaine.

J'ai aussi reçu, deux jours après cet achat, un courriel d'Amazon m'informant qu'un vendeur offrait sur son site d'encan la première édition d'un roman publié en 1905 et qui avait inspiré le film *The Birth of a Nation*[2]. La chose paraît aujourd'hui banale. Mais, à l'époque, qu'une entreprise puisse faire le lien entre une vidéo qu'elle commercialisait et un livre vendu à l'encan par un particulier m'a fasciné.

Si j'ai évoqué ces deux anecdotes dans ma conférence à Atlanta, ce n'était pas seulement pour amuser la galerie. Je cherchais à attirer l'attention de mon auditoire, comme aujourd'hui la vôtre, sur le fait que ces deux histoires, quoique semblables, sont néanmoins fort différentes.

Elles se ressemblent, parce qu'elles partent toutes deux d'une information laissée sur le Web et récupérée par la suite. Elles sont cependant très différentes, parce que, dans un cas, l'information a été fournie de bonne grâce (j'ai acheté un film), alors que, dans l'autre (monsieur navigue sur des sites pornos), on ne voulait pas qu'elle soit communiquée. Un détail, direz-vous, mais qui campe toute la logique du marketing moderne: une approche qui s'éloigne résolument du marketing de masse pour devenir de plus en plus individualisée. Et qui ne mise plus uniquement sur la progression du nombre de clients pour accroître les ventes, mais cherche plutôt à augmenter les achats des clients existants.

À la lumière des technologies actuelles, ces anecdotes ont presque l'air dépassées. Avec plus de 500 millions de personnes sur Facebook, plus de 200 millions sur Twitter et plus de 137 millions sur Amazon, les traces électroniques que nous laissons sont désormais presque infinies. Tout comme les façons de les récupérer pour parfaire les stratégies de commercialisation. Dans certains cas, comme nous le verrons, la manœuvre s'effectue avec l'aval du consommateur. Mais, dans bien d'autres, elle se fait résolument à ses dépens.

« JE SUIS CIBLÉ? MAIS OÙ TU VAS CHERCHER ÇA? »

De la vie privée au devoir citoyen

Nous voici donc, et sans possibilité de retour en arrière, plongés dans une forme de marketing totalement nouvelle. Une forme qui rend de plus en plus périmée l'utilisation de la publicité de masse. La question qui se pose est simple : pourquoi dépenser un seul dollar pour rejoindre un consommateur qui n'a que faire de ce qu'on lui offre ?

Passer d'un marketing du XXe siècle à un marketing du XXIe siècle ne se fait évidemment pas sans investissement ni sans risque. Quand je siégeais au conseil du Groupe Renaud-Bray, au début des années 2000, son propriétaire fondateur, Pierre Renaud, certes l'un des meilleurs libraires du Québec, s'ingéniait à me faire parvenir des coupures de presse montrant à quel point Amazon perdait des sommes colossales[3]. De fait, la société américaine a perdu 18 cents pour chaque dollar de vente réalisé (1,56 $ par action) en 2001 !

Dix ans plus tard, Amazon n'est pas seulement une librairie prospère, mais l'un des plus gros détaillants en ligne au monde. Ses ventes dépassent les 30 milliards de dollars, avec un bénéfice net de plus de 1 milliard. Un tel succès ne vient pas seul. En 2010, l'entreprise a investi plus de 1 milliard de dollars en marketing, et plus de 1,7 milliard en technologie et en contenu. Amazon, vous l'aurez compris, n'utilise pratiquement pas de stratégies publicitaires conventionnelles. Le gros de ses budgets finance un marketing de·recommandation, basé sur les traces que vous laissez. Ou, en d'autres mots, sur le principe «Les clients qui ont acheté cet article ont aussi acheté celui-là».

Et ça marche. L'année où Amazon a lancé la fonction qui utilise ce principe, les ventes annuelles moyennes par client sont passées de moins de 160 $ à plus de 240 $. Ce mécanisme induit désormais jusqu'à 30 % des ventes du détaillant en ligne[4].

Dis-moi ce que tu achètes et je te dirai… non pas qui tu es, mais ce que tu achèteras de plus.

Que ces nouvelles formes de commercialisation soient progressivement apparues entre la récession de 1982 et celle du début des années 2000 est une coïncidence. Toutefois, leur capacité d'amener chaque consommateur à dépenser davantage n'aurait pu mieux tomber. Comme nous le verrons dans le prochain chapitre, ces nouvelles approches sont apparues au moment où l'Amérique du Nord avait désespérément besoin que ses citoyens soutiennent l'économie en consommant toujours plus. Une surconsommation dont on a vu les conséquences avec le krach de 2008.

C'est ainsi que l'envahissement de la vie privée allait contribuer à soutenir la croissance économique.

Chapitre 2

Citoyens, à vos cartes de crédit!

Washington, 11 septembre 2001. Le président Bush tente de rassurer ses concitoyens. Les bureaux du gouvernement fédéral qui ont dû être évacués dans la journée seront rouverts dès le lendemain, promet-il dans son adresse à la nation. «*And the American economy will be open for business as well.*»

La Maison-Blanche n'a peut-être pas vu venir les attentats terroristes, mais elle est consciente d'une autre menace. Les États-Unis sont, depuis plusieurs mois déjà, au bord de la récession. Si les Américains se terrent chez eux et cessent de dépenser, ce sera la catastrophe.

«Je vous demande de maintenir votre confiance en l'économie, et de continuer d'y participer», implore le président quelques jours plus tard. «Envolez-vous et profitez des merveilleuses destinations américaines. Allez à Disney World en Floride», ajoute-t-il la semaine suivante.

La récession sera finalement évitée. La conscription, par contre, se poursuit. Le citoyen est sommé de consommer. Il en va de la prospérité de la nation. «Je vous encourage tous à aller magasiner davantage», insiste Bush, quelques jours avant Noël 2006.

On sait aujourd'hui avec quelle sorte de munitions les Américains ont livré cette guerre contre la décroissance économique. Le crédit. C'est ainsi qu'entre 1995 à 2007, le taux d'endettement des ménages américains est passé de 80 % à 137 % de leur revenu disponible. Vertigineux ! Bien que la situation se soit un peu améliorée, l'Américain moyen devait encore, au milieu de 2011, 1,14 $ pour chaque dollar de revenu net après impôt.

Évidemment, on est aux États-Unis. Le paradis de la consommation, où magasiner est un loisir en soi. Pas de risque que cela nous arrive à nous, Québécois et Canadiens, n'est-ce pas? Surprise: notre situation est encore pire.

Le gouverneur de la Banque du Canada, Mark Carney, a passé l'année 2010 à implorer les Canadiens de réduire leur endettement en prévision d'une hausse des taux d'intérêt et d'une possible bulle immobilière. Venant de cet homme qui n'est pas exactement un militant anti-consommation, le message a de quoi faire réfléchir.

Au début de 2011, le taux d'endettement des Canadiens dépassait celui des Américains: il atteignait près de 150 % de leur revenu disponible. Et, contrairement à nos voisins, nous ne l'avons pas réduit durant la récession. Face à la pire crise depuis la Grande Dépression des années 1930, nous avons continué à emprunter. C'était la première fois, depuis le début des années 1970, que nous traversions une récession avec une telle inconscience. Le réveil risque d'être brutal lorsque les taux d'intérêt se mettront à remonter.

Les Canadiens consacrent actuellement 7,3 % de leurs revenus au service de la dette domestique (hypothèque, prêts personnels, cartes et marge de crédit). C'est plus que la moyenne des 20 dernières années, durant lesquelles la dette n'accaparait que 6 % des revenus des ménages[5]. Et ce, alors que le principal taux directeur de la Banque du Canada est historiquement bas, soit 0,5 % en 2010 et 1 % au milieu de 2011. En 1971, ce taux était plutôt de 6 %. Il est monté à 17 % en 1981, et se trouvait encore à 11 % en 1991[6].

Vous me direz, 1981, c'est une autre époque. Presque l'ère glaciaire. Tout de même, on n'est jamais à l'abri des changements économiques.

Une hausse des taux d'intérêt, même assez mineure, pourrait s'avérer catastrophique pour plusieurs ménages. Prenons un couple qui gagne 70 000 $ par année, donc assez près de la moyenne canadienne. Et dont le service de la dette (le poids des intérêts à payer par rapport au revenu brut) correspond à la moyenne nationale (7,3 %). Son service de la dette l'oblige donc à débourser 5 110 $ d'intérêts par année (7,3 % de son revenu de 70 000 $).

Supposons aussi que la dette de ce ménage comprend une hypothèque de 127 750 $, à un taux de 4 % (ce qui représente 5 110 $ par an en intérêts). Si demain, ce taux grimpe à 6 % (ce qui n'a rien de farfelu), les intérêts à payer ne seront plus de 5 110 $, mais de 7 680 $ par an. Le service de la dette de ce ménage frisera donc les 11 %, accaparant 2 570 $ de plus qu'aujourd'hui. Si le taux monte à 8 % (ce qui serait encore plus bas que la moyenne des 30 dernières années), ce couple devra consacrer plus de 14 % de ses revenus à payer les intérêts de sa dette. Évidemment, il pourrait la renégocier, ou en accélérer le remboursement, mais par les temps qui courent[7], cette solution n'est pas à la portée de tout le monde.

À l'automne 2010, l'Association canadienne de la paie, qu'on ne saurait qualifier d'organisation radicale de gauche, révélait que la majorité des travailleurs canadiens vivaient d'un chèque de paie à l'autre. Et que 59 % d'entre eux auraient de la difficulté à s'acquitter de leurs obligations financières si ce chèque était remis une semaine plus tard[8].

Je vous entends déjà dire que, si cela se produisait, ils n'auraient qu'à puiser dans leurs épargnes. Malheureusement, cela risque d'être difficile. La spirale de la consommation des dernières années n'a pas seulement été alimentée par le crédit. Elle s'est aussi beaucoup développée aux dépens de l'épargne. Notre bas de laine, qui devrait nous permettre de faire face aux imprévus, est à un niveau historiquement bas depuis des décennies, soit à peine 4 % du revenu annuel moyen.

Où tout cela nous mène-t-il ? Quel est le lien entre la situation financière précaire des ménages nord-américains et les supplices du président Bush ? Comme citoyen, mais surtout comme consommateur, vous contribuez à la croissance de la richesse de votre pays. Eh oui ! Vous croyiez que vos seuls devoirs de citoyen étaient de voter aux élections et de payer des impôts? Détrompez-vous. Si tel était le cas, le pays ne jouirait pas d'une réelle croissance.

Comme vous le savez, c'est le produit intérieur brut (le fameux PIB) qui définit la richesse d'une nation (un pays, une province ou tout autre territoire). Dans sa forme la plus simple, le PIB se traduit par la formule suivante:

> PIB = Dépenses des ménages + Dépenses publiques et gouvernementales
> + Dépenses des entreprises privées[9]

Autrement dit, on mesure la richesse d'une nation (ou d'une province, ou d'une région) en calculant tout ce qu'elle consomme en une année.

Vous me voyez venir. Si les entreprises deviennent moins productives et investissent moins, et si les gouvernements, parce qu'ils sont passablement endettés, réduisent leurs dépenses, la croissance économique dépendra des ménages. Vous, en l'occurrence!

Et c'est exactement ce qui est en train de se passer.

Chez nous, historiquement, les ménages étaient la source de plus de la moitié de l'activité économique. Notre consommation collective a généré en moyenne 55 % de l'activité économique du Québec et du Canada durant la majeure partie du 20e siècle. Les gouvernements et les entreprises privées fournissaient les 45 % restants.

Tant que la population augmente – comme c'était le cas au Québec dans les années 1950 et 1960 –, ou que les revenus progressent – comme dans les années 1970 –, tout va bien. Les dépenses de consommation s'accroissent naturellement et l'économie suit. La nation affiche une activité économique soutenue.

Quand les citoyens ne sont ni plus riches ni plus nombreux, par contre, le mouvement ralentit. C'est ce qu'on voit chez nous depuis au moins 20 ans. La population croît à un rythme lent et nos revenus progressent à peine plus vite que l'inflation. La croissance économique aurait donc dû venir des entreprises ou des gouvernements. Or, c'est exactement le contraire qui s'est produit!

La part du PIB canadien générée par la consommation des ménages n'a pas cessé d'augmenter depuis 2000. Cette part qui, on l'a vu, tournait auparavant autour de 55 %, dépasse désormais les 65 %.

Et ce, même si la population n'a pas augmenté de façon significative depuis plus de 30 ans. Ni au Québec ni au Canada. Même chose pour les revenus. Un travailleur à temps plein gagnait 43 267 $ en moyenne en 2009, soit à peine 2 000 $ de plus qu'en 1980 (en dollars de 2005).

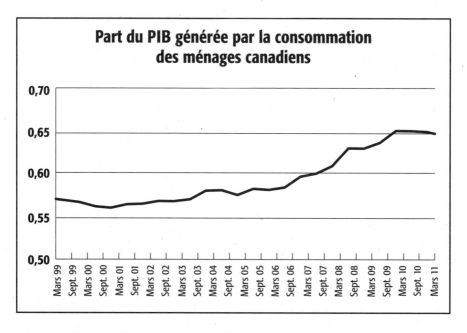

Source : STATISTIQUE CANADA, *CANSIM, Tableau 380-0002*, « Produit intérieur brut (PIB), en termes de dépenses, trimestriel (dollars sauf indication contraire) ».

En soi, il n'y a rien de mal à ce que les ménages contribuent, par leur consommation, à faire croître l'économie de leur pays. Encore faut-il qu'ils en aient les moyens. Ce qui n'est plus le cas depuis au moins 10 ans. Ni aux États-Unis, ni au Canada, ni au Québec.

Pourtant, nos dépenses de consommation ont passablement augmenté entre 1997 et 2009.

La chose vous surprendra peut-être, mais, pendant que nos revenus progressaient de moins de 30 %, soit à peu près l'inflation, nos dépenses, elles, augmentaient de 40 %. Cette différence explique en bonne partie pourquoi la dette des ménages s'est mise à grimper, et leurs épargnes à fondre.

Ce qui est encore plus intéressant, c'est de voir où est allé cet argent. Peut-être pensez-vous à l'alimentation et aux vêtements. Eh non ! Ces deux postes n'ont augmenté que de 30 % durant cette période, soit moins que la moyenne. Les coûts de transport, incluant l'essence ? En partie, puisque ceux-ci ont progressé de 43 %. C'est sensiblement la même chose pour les taxes et les impôts, qui ont crû plus rapidement que nos revenus et que l'inflation. Ces hausses n'expliquent cependant pas tout.

Des produits, des services, mais surtout des comportements nouveaux, sont apparus dans le paysage de la consommation au cours des 15 dernières années. Ils expliquent en bonne partie pourquoi notre situation financière personnelle est devenue plus précaire.

L'achat d'une maison compte pour beaucoup, mais tous les Canadiens n'ont pas acheté une résidence durant cette période.

Par contre, les dépenses en loisirs ont augmenté de 53 % au Canada entre 1997 et 2009. Ce poste budgétaire est désormais presque aussi important que le transport. Que s'est-il passé ? Il y a eu une hausse de 400 % des dépenses en jeux et consoles vidéo. Une augmentation de 80 % des dépenses en location ou achat de musique et de films. Et un bond de 100 % des dépenses de voyage. Ce sont toutefois les services de téléphonie, de câblodistribution et d'Internet qui remportent la palme avec une hausse de… 700 %[10] !

Et, comme par hasard, la plupart des postes en forte expansion sont ceux qui sont les plus commercialisés de manière électronique[11]… et qui profitent le plus des nouvelles pratiques du marketing individualisé.

Comment en sommes-nous arrivés là ?

Si vous n'avez jamais trouvé une offre de carte de crédit non sollicitée dans votre boîte aux lettres, ou rencontré un étudiant sans le sou qui ait reçu une telle offre, c'est que vous avez passé la dernière décennie sur la planète Mars, ou bien dans un profond coma. L'accès au crédit s'est élargi de façon spectaculaire en 10 ans. Le Canadien moyen possède 2,6 cartes de crédit. L'Américain moyen, lui, en a six dans son portefeuille. Et c'est sans compter tous les autres prêts, marges et achats à tempérament qui permettent de dépenser de l'argent qu'on n'a pas encore gagné.

Le crédit n'est pas seulement plus facile d'accès. Il est devenu plus abordable, grâce aux très bas taux d'intérêt que nous avons connus depuis le début des années 2000. Pourquoi mettre de l'argent de côté pour une nouvelle voiture quand on peut l'acheter tout de suite à 0 % d'intérêt ? Qu'est-ce que payer 50 000 $ de plus pour une maison quand la différence sur le versement hypothécaire n'est que de 220 $ par mois (avec une hypothèque amortie sur à peine 35 ans, bien entendu[12]) ? C'est ce genre de calcul qui a conduit à l'effondrement de l'économie américaine. Encore récemment, le *Wall Street Journal* citait une étude montrant que presque 40 % des propriétaires qui ont pris une seconde hypothèque sur leur maison pour payer des biens de consommation courante et diverses dépenses n'arrivaient plus à joindre les deux bouts[13].

Ce crédit abondant et bon marché a beaucoup contribué à l'endettement des Canadiens. Mais, pour en arriver là, il fallait que ceux-ci aient envie de l'utiliser. C'est-à-dire de dépenser. Un défi que les spécialistes du marketing ont relevé haut la main, comme nous le verrons dans les prochains chapitres.

Chapitre 3

Rouler sans se fatiguer

Quand j'ai suivi mon tout premier cours de marketing, à l'Université McGill il y a maintenant plus de 35 ans, un article publié dans le *Journal of Contemporary Business*[14] a frappé mon imagination de jeune étudiant en commerce. L'article faisait l'apologie d'un nouveau concept à la fois séduisant et insidieux, celui de l'*obsolescence planifiée*. Présentée à la fois comme moteur de développement économique et stratégie de marketing, l'obsolescence planifiée m'est apparue d'une redoutable efficacité.

Si le terme peut sembler obscur, le concept est d'une simplicité enfantine. L'obsolescence planifiée consiste à diminuer la durée de vie utile d'un produit ou d'un service pour pouvoir en vendre un nouveau au même client. Cette stratégie permet de réduire les coûts de mise en marché et, surtout, les coûts de production.

Le concept d'obsolescence planifiée est basé sur le fait qu'il est plus profitable pour une entreprise de vendre 400 $ une bicyclette qui durera seulement 5 ans, que d'en offrir une à 500 $ qui pourra durer 10 ans.

En plus d'être plus facile à vendre parce que son prix est plus bas, la première bicyclette est également plus profitable pour le manufacturier, puisqu'elle coûte généralement bien moins cher à produire. À partir du moment où un fabricant est capable de produire un bien qui ressemble à un autre pour moins cher, il n'y aura souvent aucune limite aux compromis qu'il sera prêt à faire sur la qualité. C'est le piège des fausses économies qui est tendu au client.

Bien entendu, ce premier exemple est trop simple pour être entièrement vrai. Le consommateur que vous êtes ne tomberait jamais dans un piège aussi grossier, n'est-ce pas?

Certes, mais qu'en est-il de la dernière imprimante que vous avez payée moins de 100 $, et pour laquelle vous ne trouvez plus de cartouches un an plus tard? Ou dont les cartouches coûtent plus cher qu'une nouvelle imprimante? Et de votre iPod, dont il est pratiquement impossible de remplacer la pile?

Nous verrons bientôt les diverses formes que peut prendre l'obsolescence planifiée. Mais, d'abord, il faut se demander pourquoi cette approche a connu un tel succès, en particulier en Amérique du Nord.

Ce qui n'avance pas retombe

« La révolution est comme une bicyclette. Quand elle n'avance pas, elle tombe!

– Eddy Merckx?

– Non, Che Guevara! »

À peu près à la même époque où j'ai découvert ce qu'était l'obsolescence planifiée, j'ai aussi été interpellé par ce dialogue, tiré du film *Rabbi Jacob*. C'est l'industriel Victor Pivert, incarné par Louis de Funès, qui confond la paternité de cette citation, attribuant les paroles du grand révolutionnaire Che Guevara au champion cycliste Eddy Merckx.

Cette phrase m'est restée, parce que j'ai toujours senti qu'au fond d'eux-mêmes, gestionnaires, entrepreneurs, marchands et économistes pensent un peu la même chose : si les ventes d'une entreprise ou la production d'un pays ne progressent pas, tout s'écroulera.

La métaphore de la bicyclette aurait pu être employée par un grand économiste, mais, à ma connaissance, aucun ne s'y est risqué tant la relation est évidente.

L'évidence vient du fait que, si une entreprise ne croît pas au moins au rythme du marché, elle perd forcément du terrain au détriment de ses concurrents. Cette équation est cependant de moins en moins vraie. En particulier sur des marchés qui ne profitent ni d'une forte croissance démographique ni d'un enrichissement de la population.

Une entreprise qui veut augmenter ses revenus sur un marché saturé n'a pas grand choix. À moins de s'emparer des ventes de ses concurrents, elle devra forcer les consommateurs à dépenser plus qu'ils ne le peuvent – et qu'ils ne le devraient. On oblige la bicyclette à rouler sur une crevaison.

Le très respectable magazine britannique *The Economist* rapportait, en 2007, qu'un géant aussi solide que Walmart vivait une période difficile[15]. On mentionnait notamment que le plus gros détaillant de la planète n'arrivait plus à croître de manière rentable sur son marché principal, les États-Unis.

Ainsi, même si plus de la moitié des Américains vivaient à moins de 10 minutes d'un Walmart, que 93 % des ménages y allaient au moins une fois par année et qu'il y avait alors plus de 4 000 succursales aux États-Unis, la chaîne s'entêtait à ouvrir de nouveaux magasins au même rythme. Résultat ? Malgré ces énormes dépenses d'investissement, les ventes au mètre carré diminuaient. Walmart en était rendue à se cannibaliser.

S'il existe des solutions à ce problème[16], il n'en demeure pas moins que se fixer comme objectif d'atteindre une croissance toujours plus forte que le marché constitue, à terme, une idiotie. Surtout pour un détaillant qui, comme Walmart, contrôle entre 14 % et 18 % de la vente de tous les produits alimentaires aux États-Unis et, donc, des ventes que réalisent des géants tels que Kraft ou General Mills[17].

Comment garder la bicyclette en mouvement

Augmenter les ventes d'une entreprise dans une économie en pleine croissance ne constitue vraiment pas un exploit. C'est exactement ce qui s'est
passé au Canada et au Québec dans les années 1960 et 1970. À cette époque, une croissance annuelle des ventes – et souvent même des profits – de
10 % n'était pas une rareté. C'est pendant ces années que les constructeurs
automobiles japonais ont commencé à pénétrer le marché nord-américain,
sans que les profits des grands constructeurs américains en souffrent de
manière significative.

Par contre, sur un marché dont la croissance s'est essoufflée, comme c'est
le cas au Canada depuis la récession de 1982, la situation est bien différente. La croissance d'une entreprise ne peut alors venir que de quatre
sources : la pénétration de marchés étrangers, la pénétration de nouveaux
marchés locaux, l'accroissement de la part de marché sur les marchés locaux et, enfin, l'accroissement des ventes à la clientèle locale. Alors que les
trois premières approches peuvent souvent être bénéfiques pour le développement de l'économie, la quatrième a des conséquences plutôt fâcheu-
ses, comme nous le verrons dans la seconde moitié de ce chapitre.

Pédaler sur de nouveaux sentiers

Ce n'est pas une coïncidence si le principal accord de libre-échange euro-
péen, le traité de Maastricht, et le principal accord de libre-échange américain, l'ALENA, ont tous deux été signés en 1992. Déjà, à cette époque,
les pays développés savaient très bien que la principale source de croissance de leurs entreprises ne pouvait plus être à l'intérieur des pays. Il fallait de nouveaux marchés. Ouvrir les frontières permettrait à chacun
d'agrandir son marché naturel.

On connaît la suite. Bombardier vend désormais plus de trains et de wa-
gons de métro à l'extérieur du Canada que chez nous. Et les Walmart,
Target, Home Depot et Best Buy sont de plus en plus présents dans le
paysage commercial canadien.

Si l'expansion à l'étranger est l'une des stratégies de croissance les plus évi-
dentes pour une entreprise, elle n'est pas à la portée de toutes. Les coûts font

en sorte que seules les plus grosses s'y risquent. La pénétration de nouveaux marchés locaux, par contre, constitue une stratégie plus accessible.

Qu'avez-vous vu chez Loblaws récemment? De plus en plus de produits non alimentaires, des meubles de jardin aux articles de cuisine en passant par des vêtements, des livres et des DVD, sans oublier les services de pharmacie. Chez Canadian Tire? Un choix de plus en plus grand d'articles électroniques et de denrées alimentaires. Et chez Pharmaprix? Encore plus de produits alimentaires, évidemment!

Quand le terrain devient plus difficile et que la bicyclette commence à perdre de la vitesse, les commerçants et les gestionnaires roulent sur la piste cyclable du voisin. Ingénieux, mais – on l'aura deviné – précaire si tous se prêtent au même exercice.

Rabbi Jacob n'est pas le seul film qui ait influencé mon analyse du monde du commerce. Dans *Les aventuriers de l'Arche perdue*, Indiana Jones doit affronter un tueur armé d'un cimeterre. Celui-ci fait tournoyer son énorme sabre, dans un style digne d'un champion d'arts martiaux. Indiana Jones le toise, s'essuie le front du revers de sa manche, se cabre… puis sort son pistolet et abat son adversaire.

Cette scène, qui avait fait fureur dans le cinéma du Midwest américain où j'avais vu le film, illustre bien comment une entreprise gagne des parts de marché.

Le prof que je suis vous dira que la plus noble des stratégies consiste, pour une entreprise qui ne bénéficie pas d'une croissance naturelle de son marché, à ravir des parts à son concurrent. Pour ce faire, il suffit d'être meilleur, d'offrir un meilleur service ou des prix plus bas. N'est-ce pas ce qui est écrit dans tous les livres d'économie et de marketing? N'est-ce pas ce que j'ai moi-même enseigné pendant plus de 30 ans?

Si cette approche digne et transparente est de loin la plus noble, elle demeure, toutes proportions gardées, moins populaire que l'élimination d'un concurrent. L'achat de Provigo par Loblaws, de Réno-Dépôt par Rona, de Sports Experts par Canadian Tire ou encore des baux commerciaux des magasins Zellers par Target reste encore la façon la plus simple de gagner des parts de marché dans un contexte de stagnation. Rien de répréhensible, si ce n'est que le marché devient, à terme, de moins en moins concurrentiel. Au Canada, les trois plus grandes chaînes d'épiceries contrôlent désormais plus de 75 % du marché de l'alimentation. Il en va de même dans les secteurs de la pharmacie et de la rénovation.

Si Indiana Jones avait écouté mes nobles principes, il serait mort décapité et le film se serait terminé à la 40ᵉ minute!

Faire pédaler un autre que vous

De 1980 à aujourd'hui, toutes les stratégies décrites plus haut ont été abondamment utilisées. Elles n'ont pourtant pas suffi à assurer la croissance recherchée par les entreprises – et, surtout, par leurs actionnaires. C'est à ce moment-là que des stratégies plus simples, mais aussi plus redoutables, ont commencé à se multiplier. L'idée était de se servir de la clientèle immédiate, souvent la plus loyale, pour accroître les ventes. Faire consommer les mêmes clients toujours davantage, tel est devenu le but du jeu. Pourquoi une entreprise prendrait-elle le risque d'investir pour développer de nouveaux marchés quand elle peut demander aux consommateurs de financer sa croissance par leur épargne ou par leur endettement, quitte à leur en fournir les moyens? Voilà comment on fait pédaler un autre que soi!

Comment inciter les mêmes clients à dépenser davantage? Trois changements majeurs ont vu le jour au début des années 1970, puis fait leur entrée au Panthéon du marketing dans les années 1980. Le marketing croisé, l'obsolescence planifiée (eh oui, nous y arrivons!) et les nouvelles technologies de l'information, de la simple carte de crédit des années 1970 au Facebook de 2011.

Un chausson avec ça?

Vous savez que j'aime aller au cinéma. Retournons-y.

«Achetez le Super maïs soufflé format géant à 8,25 $ et, pour 50 ¢ de plus, obtenez un remplissage gratuit!» Vous avez sûrement déjà vu une offre semblable. Toute une offre, puisque, pour 50 ¢, vous obtenez une valeur de 8,25 $. Vraiment? Dites-vous bien que le sac de papier et la main-d'œuvre (l'étudiante qui vous sert) sont ce qui coûte le plus cher. Et que le contenu du sac, si vous l'aviez acheté en grains (donc pas encore éclaté) au supermarché, vous aurait coûté moins de 30 ¢[18]. Si vous croyez encore que les proprios de salles de cinéma font leur argent avec les films, bienvenue au XXIe siècle!

Sachez aussi que près de deux consommateurs sur trois ne retourneront pas demander un remplissage gratuit. Bref, cette offre est probablement ce qui rapporte le plus au comptoir de collations du cinéma.

Bon, je sais, *vous*, vous êtes bien différente de votre belle-sœur. Vous ne craquez pas pour ce genre d'offre.

Parlons plutôt de la dernière fois où vous avez acheté une jupe. Vous a-t-on proposé une ceinture assortie? Ça aurait été bête de refuser, elle était parfaite. Vous serez peut-être surprise d'apprendre que le profit que le marchand a réalisé sur cet accessoire était plus grand que celui qu'il a fait sur la jupe. Toujours rien à voir avec vous?

La voiture que vous avez achetée était-elle admissible à un prêt à taux ridicule offert par le concessionnaire? Vous l'avez pris? Si tel est le cas, votre concessionnaire a fait plus d'argent sur le financement que sur la voiture elle-même. Et je ne vous parle pas de la garantie prolongée…

Bon, je vous sens vous tortiller d'impatience sur votre chaise, puisque vous êtes bien sûr un consommateur averti. Vous ne tombez pas dans ce genre de pièges qui incitent à acheter un produit ou un service supplémentaire – ce qu'on appelle le marketing croisé.

Non. Comme les deux tiers des ménages québécois, vous profitez des programmes de fidélité comme Air Miles, Aéroplan, Optimum ou metro&moi, qui offrent quelque chose qui a une réelle valeur. Même si, comme beaucoup de consommateurs, vous n'utiliserez jamais ces points…

Ces techniques de plus en plus répandues ont deux objectifs. Le premier: faire diminuer le coût de la transaction. Dans chaque vente qu'ils font, les commerçants incluent un coût pour la publicité ou la promotion destinée à vous faire entrer en magasin. Les cartes de fidélité concourent à faire diminuer ce coût, puisque, justement, elles *fidélisent* la clientèle. Le deuxième: aider les marchands à vous connaître. À savoir ce que vous aimez et consommez. Ces programmes, comme nous le verrons au chapitre 5, leur permettent aussi de faire des offres mieux adaptées à vos préférences, donc plus susceptibles de vous inciter à consommer davantage.

Simple, mais efficace. Là encore, rien de répréhensible en soi. Ce n'est pas parce que vous aurez dépensé 50 ¢ de plus pour du maïs soufflé que l'huissier viendra saisir vos biens. Lorsque la même stratégie est appliquée au marché des maisons neuves, par contre, les conséquences risquent d'être plus graves.

Si le marché américain de l'immobilier est tombé aussi bas à la fin des années 2000, c'est précisément parce que trop de consommateurs se sont laissé emporter et ont acheté une maison neuve dont le prix était au-delà de leurs moyens. C'est la fameuse logique du «tant qu'à». Tant qu'à y être, pourquoi ne pas faire finir le sous-sol avant d'emménager? Seulement 40 $ de plus sur les versements mensuels : on serait fous de s'en priver. Tant qu'à y être, pourquoi pas aménager une cuisine de rêve (seulement 50 $ de plus par mois)? Pas de chicane : tant qu'à y être, pourquoi pas s'offrir un garage double (seulement 30 $ de plus par mois)? Et soudain les paiements hypothécaires passent de 785 $ à 905 $ par mois – 1 200 $ si les taux d'intérêt augmentent de 2 %. C'était quoi déjà la question au chapitre précédent? Comment en sommes-nous arrivés là?

Ben voyons, ça coûterait plus cher de le faire réparer!

Combien de fois avez-vous entendu cette phrase? Avant de vous dire, comme des millions de consommateurs : «Incroyable, quand même, le prix de cet article. Comment font-ils pour le vendre si peu cher?»

Re-bienvenue au pays de l'obsolescence planifiée.

Ma grand-mère avait l'habitude de dire qu'elle était trop pauvre pour acheter de la mauvaise qualité. Je suis prêt à parier que vous avez déjà choisi un morceau de bœuf parmi les moins chers pour ensuite constater que vous en aviez laissé la moitié dans votre assiette. Toute une économie!

Mais, comme nous l'avons vu, il est souvent plus facile, et surtout plus payant, de vendre à répétition un article de mauvaise qualité à prix dérisoire qu'un article plus durable, mais plus cher. Même si ce dernier serait, à terme, plus avantageux pour les consommateurs.

Il existe trois façons de vendre un produit plus souvent. Vous le concevez de manière à ce qu'il brise plus rapidement. Vous en changez le design de manière à ce que les consommateurs se sentent ridicules de continuer à l'utiliser. (Vous n'avez toujours pas de skis paraboliques? Vos raquettes sont encore en babiche? Ouache!) Vous en changez les configurations technologiques. (Eh non, il n'y a plus de cartouche d'encre pour votre imprimante…).

Quelle que soit la façon d'y arriver, le but est le même: faire acheter un même article plus souvent par les mêmes consommateurs. C'est idiot, croyez-vous? Effectivement, on s'attendrait à ce que les clients ainsi lésés changent de manufacturier ou de détaillant. C'est sûrement ce qui se passerait si la chose était à ce point flagrante. Mais c'est rarement le cas. Bien au contraire.

Un exemple? Supposons que vous achetez un réfrigérateur, que vous paierez, comme beaucoup de gens, un certain montant par mois – disons 20 $, pendant cinq ans. Au bout de trois ans, le réfrigérateur fait défaut, et l'on vous dit qu'il n'est plus couvert par la garantie (que vous auriez dû prolonger pour à peine 7 $ de plus par mois…).

C'est généralement à ce moment-là que vous entendez le fameux: «Ben voyons, ça coûterait plus cher de le faire réparer!» Rapidement suivi de: «Mais il y a bien mieux!» Pour à peine 5 $ de plus par mois, vous repartez avec un réfrigérateur neuf (payable en 5 ans, cela va de soi). Quelle chance! Pour à peine 5 $ de plus par mois («le prix de deux cafés»), vous avez un nouvel appareil!

Toujours surpris que le taux d'endettement des ménages ait grimpé sept fois plus vite que leurs revenus?

L'obsolescence technologique est encore plus redoutable. Vous avez récemment fait la mise à jour du système d'exploitation de votre ordinateur? Ou changé votre vieil appareil télé pour un écran plat? Vous avez sans doute constaté que certains autres appareils, comme votre scanner ou votre lecteur VHS ne fonctionnent plus avec ces nouvelles configurations. Pas grave: les nouveaux modèles sont bien mieux. Pourtant, vos vieux appareils faisaient parfaitement l'affaire.

Un dernier exemple? Si, comme moi, vous avez plus de 50 ans, vous avez connu les films maison en format 8 mm. Pas génial, mais quand même de beaux souvenirs.

Dans les années 1980, la caméra 8 mm, qui avait tout de même duré 40 ans, a été remplacée par la caméra vidéo. Pour ne pas risquer de perdre vos vieux souvenirs, il devenait urgent de les transférer sur cassettes vidéo.

Vingt ans plus tard, celles-ci sont devenues obsolètes. Comme il allait bientôt devenir presque impossible de trouver un lecteur VHS, il était temps de transférer pépère de nouveau, sur un DVD cette fois.

Sauf qu'en 2011, le format DVD est lui aussi obsolète. On pense à entreposer le tout sur un disque dur au format mpeg. Ou, mieux encore, pourquoi ne pas envoyer pépère directement sur YouTube? Quatre technologies en moins de 60 ans, dont 3 au cours des 10 dernières années. Eh non, pépère, on n'arrête pas le progrès! Ni l'endettement d'ailleurs…

Chapitre 4

« Hello Mr. Yakamoto, welcome back to the Gap »

C'est ainsi que Tom Cruise, dans le film *Minority Report* (*Rapport minoritaire*, dans la version française présentée au Québec), est accueilli à son arrivée dans un magasin Gap. Les cinéphiles se souviendront que c'est à la suite d'une greffe des yeux, prélevés sur un Japonais, que Tom Cruise se fait ainsi identifier. Science-fiction, me direz-vous. En fait, moins que vous ne le croyez. La seule partie de cette histoire sur laquelle je ne peux me prononcer – je ne suis pas médecin – est la possibilité de greffer des globes oculaires entiers. Par contre, la possibilité d'identifier un consommateur, et d'obtenir l'historique de tous ses achats, à partir d'une simple lecture de son iris, est tout à fait réaliste.

Dans les trois premiers chapitres, nous avons parlé de l'impact des nouvelles technologies sur les façons de faire du marketing, de l'effet dopant de ces technologies sur la consommation et l'économie en Amérique du Nord, et, enfin, de l'impact de la surconsommation sur l'endettement des ménages.

Dans ce quatrième chapitre, nous revenons sur l'influence des nouvelles technologies sur la façon de faire du marketing. Pour ce faire, cher lecteur, chère lectrice, je vous convie à une aventure qui se déroule sur près de 80 années. Elle débute avec les premiers balbutiements de Statistique Canada, et trouve son dénouement dans les visées de Google et de Facebook. Entre les deux, il y a vous. Vous, au centre d'une cible qui devient de plus en plus précise.

On ne bouge plus !

Tout débuta par le recensement

Dans le Nouveau Testament des chrétiens, plus particulièrement dans l'Évangile selon saint Luc, on nous raconte la naissance de Jésus, qui coïncide avec le « recensement de toute la Terre » ordonné par César Auguste. Outre cette bonne nouvelle, Luc nous apprend bien d'autres choses encore. Que Marie et Joseph habitaient à Nazareth et devaient se rendre à Bethléem. Qu'ils étaient soit trop pauvres, soit trop imprévoyants pour s'être trouvé une place dans une « hostellerie ».

Cette histoire, d'un intérêt majeur pour les chrétiens, est aussi riche d'enseignements pour les gens qui travaillent en marketing. Avec tout le respect que j'ai pour la religion, si la scène avait lieu aujourd'hui, Marie et Joseph auraient évidemment été contactés sur leur téléphone intelligent muni d'un GPS par Hotels.com, TripAdvisor ou encore Expedia. Bref, on leur aurait trouvé un hôtel, et Jésus ne serait pas né dans une étable !

Voilà donc au moins 2 000 ans que les États font des recensements. Au début, on cherchait surtout à connaître le nombre de citoyens, leur âge et, peut-être, leur fortune, essentiellement à des fins fiscales. Pourtant, c'étaient bien là les premières manifestations de ce qui allait devenir la base du marketing moderne.

Au fait, qu'est-ce donc que le marketing ?

Quel que soit le livre de marketing que vous consultiez (y compris celui que j'ai rédigé avec mes collègues de HEC Montréal), il vous donnera, à peu de choses près, la même définition de cette spécialité.

« Le marketing consiste à répondre aux besoins des consommateurs de manière économiquement rentable pour l'entreprise. »

Lorsqu'on enseigne le marketing, on passe au moins les trois premiers cours sur la première partie de cette définition, qui a trait à la volonté de « répondre aux besoins des consommateurs ». Le professeur insiste alors sur deux principes fondamentaux. Premier principe : le marketing ne crée pas de besoins, il ne fait que répondre à ceux-ci. (Ici : ricanements incrédules des étudiants.) Le prof passe ensuite au suivant. Second principe : pour pouvoir répondre aux besoins des consommateurs, il faut d'abord connaître ces besoins.

Ce second principe est déjà plus sérieux, ne serait-ce que parce qu'il nous propulse dans le monde fascinant de la psychologie des consommateurs, et dans celui de la recherche commerciale. Il constitue, en quelque sorte, la véritable porte d'entrée du marketing. Celle qui sépare les amateurs des professionnels.

Cette nécessité de connaître intimement les consommateurs – pour savoir quels sont leurs besoins – a toutefois donné lieu à de nombreuses dérives, et a servi de prétexte à l'utilisation de plusieurs stratégies douteuses. Nous y reviendrons tout au long du livre.

La base du marketing n'est donc pas ce qui est le plus visible – tout ce qui touche la publicité ou la vente, par exemple. En fait, c'est tout le contraire. Avant de se faire voir, le marketing commence par vous regarder. Il scrute votre âme. Il sonde les cœurs et les reins. Il tente de comprendre ce dont vous avez besoin, mais aussi ce dont vous rêvez et, même, ce que vous pourriez désirer sans le savoir.

Pour ce faire, une horde de spécialistes vous observent. J'estime en avoir moi-même formé plus de 6 000 au cours de ma carrière, et j'en profite pour saluer au passage ceux qui ont encore le goût de me lire.

Afin de mieux vous comprendre, ces spécialistes utilisent diverses techniques de recherche commerciale. Il serait trop long, et franchement ennuyant, de vous les présenter ici, même sommairement. Deux dimensions seulement méritent qu'on s'y arrête.

La première tient à l'évolution rapide des méthodes de recherche vers une analyse de plus en plus personnalisée des besoins des consommateurs. Si l'on avait, dans les années 1970, une idée générale de ce qu'est le «Québécois moyen», on est devenu autrement plus précis dans les années 1990. On pouvait alors cibler, par exemple, les «Québécois d'âge moyen ayant une scolarité au-dessus de la moyenne et aimant les produits naturels». Aujourd'hui, on s'intéresse directement à vous (oui, cher lecteur, chère lectrice, à *vous*). À «vous», en tant qu'individu, plutôt qu'à un groupe dont vous faites partie. Vous êtes désormais le point focal de la recherche en marketing.

La seconde dimension vous surprendra peut-être. Contrairement à la crainte généralement répandue, ce ne sont pas tellement vos données nominatives (nom, sexe, âge, adresse, numéro de téléphone, etc.) qui intéressent le monde du marketing. Si vous nous les donnez, nous les colligerons bien sûr avec plaisir. Mais ce qui nous intéresse vraiment, ce sont vos comportements. Ce que vous consommez, bien entendu, mais aussi où vous allez, qui vous fréquentez, ce que vous lisez et ce que vous écoutez.

Cette information, pour nous, vaut de l'or. Alors, imaginez le plaisir que vous nous faites lorsque vous cliquez sur le bouton «J'aime» d'une page Facebook commerciale comme celle de Gap ou de Renaud-Bray! Ce nouvel «ami» aura non seulement accès à votre nom et à votre photo, mais aussi à tout ce que vous avez rendu accessible à toutes les personnes qui consultent votre profil. Si vous n'avez pas resserré vos paramètres de confidentialité, nous pourrons en apprendre beaucoup sur vous et sur vos préférences: quel genre de livres vous aimez, où vous rêvez de passer vos prochaines vacances, si vous venez de vous marier ou d'acheter une maison, et beaucoup d'autres choses encore.

Sceptique? Suivez-moi.

Du recensement à Statistique Canada

Au Canada, les recensements existaient déjà sous le Régime français. Mais l'énorme machine de collecte de données qu'est Statistique Canada n'a vu le jour qu'en 1918, sous le nom de Bureau fédéral de la statistique. Cette agence gouvernementale nous a donné au fil des ans un portrait de plus en plus précis de la population canadienne.

Les recensements ne nous informent pas seulement sur l'âge, la scolarité, la langue, le revenu ou d'autres caractéristiques sociodémographiques des individus qui composent les ménages. Ils nous renseignent aussi sur leur lieu de résidence, nous disent s'ils sont propriétaires ou locataires et à quoi ressemble leur maison, leur condo ou leur appartement – le nombre de pièces, l'année de construction, s'il a besoin de réparations, etc.

Bref, Statistique Canada en sait passablement long sur vous – d'autant que votre nom figure sur votre formulaire de recensement. Vous pouvez cependant lui faire confiance pour protéger votre vie privée. En 30 ans de métier, je n'ai jamais eu de doute là-dessus. Les gens qui, comme moi, s'intéressent à ce genre d'information ne voient jamais le formulaire que vous avez rempli. On nous donne seulement accès à des banques de données qui portent sur un grand nombre de répondants, sans aucun détail permettant de les identifier. Ces répondants sont plutôt regroupés en fonction des caractéristiques qui nous intéressent, par exemple le niveau de scolarité dans un quartier donné.

Statistique Canada ne se limite pas à produire un recensement aux cinq ans. L'organisme recueille une foule d'autres informations grâce à diverses enquêtes, dont certaines sont menées chaque année. L'une d'elles, en particulier, constitue le pain et le beurre des spécialistes du marketing depuis le début des années 1970. Cette enquête, intitulée *Les habitudes de dépenses au Canada*[19], est le résultat d'un sondage effectué auprès de presque 17 000 répondants. Peut-être y avez-vous déjà participé ? Elle porte sur les habitudes de consommation associées à plus de 4 000 produits et services, à l'exception des denrées alimentaires.

La confidentialité de cette information-là aussi est jalousement préservée. De toute façon, à quoi pourraient bien servir les profils de moins de 17 000 ménages alors qu'on cherche à en rejoindre 14 millions au pays ? Ces renseignements n'ont d'intérêt que parce que chacun de ces ménages est représentatif d'un plus grand nombre de personnes.

On peut néanmoins aller assez loin, même avec un peu moins de 17 000 répondants. On peut savoir ce qu'achètent, par exemple, les Montréalais.

On connaîtra ainsi leur consommation de produits et services aussi variés que l'accès Internet, la mayonnaise, la nourriture pour chats, les chaussures de sport, les livres ou encore la location de DVD.

On pourrait même savoir quels types de livres achètent les résidants du quartier Villeray, à Montréal, qui gagnent plus de 60 000 $ par année. Vous seriez peut-être surpris d'apprendre qu'en 2009, seulement 34 % des ménages de ce quartier ont fait un achat en librairie. Et encore, ceux qui l'ont fait n'ont pas dépensé tant que ça : 234 $ pendant l'année en moyenne. Moins que pour leur abonnement au câble ou leur connexion Internet. Eh oui, les consommateurs aisés ne sont pas ceux qui achètent le plus de bouquins. (Cher lecteur, chère lectrice, merci d'être avec moi en ce moment, vous n'en avez que plus de mérite !)

Pourquoi s'arrêter en si bon chemin ? Vous êtes curieux de savoir combien les femmes de 40 à 50 ans qui habitent Saguenay dépensent par année pour des livres ? C'est également possible. Bien entendu, plus précise sera la requête et, donc, plus petit sera le sous-échantillon, plus la marge d'erreur sera importante.

Vous aurez compris que nous parlons ici de moyennes. Et que ces moyennes, aussi précises et utiles soient-elles, demeurent des approximations. Elles peuvent être utiles si je veux ouvrir une librairie à Saguenay, car elles me permettront de connaître le potentiel du marché. Par contre, elles ne me diront pas quels seraient les titres les plus demandés, et encore moins par qui. C'est là qu'interviennent d'autres bases de données : celles qui ont progressivement émergé au cours des dernières années et qui devraient vous interpeller davantage. Nous y arrivons. Mais, d'abord, nous devons faire un petit détour par le bureau de poste.

Permettez que je me présente : H3T 2A7

C'est seulement en 1971 que le Canada a commencé à mettre en place son système de codes postaux actuels, comme plusieurs pays l'avaient déjà fait avant lui. Ces codes postaux, composés de six caractères, divisent le territoire en petites parcelles de manière à permettre un acheminement plus rapide du courrier.

En principe, au Canada, le système des codes postaux permet de créer 3 600 régions de tri d'acheminement (RTA), selon les combinaisons possibles des 3 premiers caractères (H3T, par exemple). À cela s'ajoute, pour chaque RTA, les quelque 2 000 combinaisons des trois derniers caractères (comme 2A7), qui donnent les unités de distribution locales (UDL). Combiner ainsi les RTA et les UDL permet de créer 7,2 millions de codes. Puisque le Canada compte 14 millions de ménages, il y aurait théoriquement deux ménages par code postal. Une façon originale de laisser vos coordonnées à une personne intéressante la prochaine fois qu'on vous abordera dans un bar ou une soirée ?

Hélas, cette personne ne réussira probablement pas à vous joindre pour vous fixer un rendez-vous, parce qu'un même code postal est en fait attribué à 17,5 ménages, en moyenne. Le Canada n'utilise en effet qu'un peu plus de 800 000 codes postaux (environ 10 % de ceux qu'il est possible de créer). Mais, si ce type d'information n'est pas l'idéal pour fixer un rendez-vous, les spécialistes du marketing, eux, s'en régalent. Et pour cause. Au Canada, les agglomérations, particulièrement en région urbaine, sont passablement homogènes. Comme je vous l'ai déjà dit, elles constituent une excellente illustration du proverbe selon lequel *Qui se ressemble s'assemble*. Les 17,5 ménages qui habitent une parcelle de territoire correspondant à un même code postal ont de fortes chances de se ressembler.

Pour vous en convaincre, je vous suggère l'exercice suivant. Déposez votre livre (oui, je sais…) et sortez de votre maison ou de votre appartement. Observez qui sont les huit voisins qui habitent à gauche de chez vous (ou au-dessus), puis les huit à droite (ou au-dessous). Considérez leur âge, leur niveau de scolarité, leurs revenus. Ont-ils des enfants ? Quelle sorte de voiture, s'ils en ont une, conduisent-ils ? Quelle est la valeur de leur maison ou de leur condo, ou quel est le montant de leur loyer ? Si vous voulez vraiment vous amuser, allez vérifier le contenu de leur bac de recyclage. Vous pigez ? Il y a fort à parier que leur profil de consommation ressemble au vôtre, tout simplement parce que leur profil sociodémographique et le vôtre se ressemblent. D'ailleurs, si vous ne trouvez aucune similitude… il est peut-être temps de vous demander ce que vous faites là !

Si tout bon cuisinier, même amateur, sait quoi faire avec des œufs, de la farine, du lait et du sucre, il en est de même pour les spécialistes du marketing, qui, très tôt, ont su comment combiner des données fournies par un recensement et celles des diverses enquêtes de Statistique Canada. Le tout a commencé à prendre forme dans les années 1970, les codes postaux pouvant dès lors servir de grille de décodage. En d'autres termes, un recensement fournit le profil des personnes (âge, sexe, revenu, éducation) et les enquêtes de Statistique Canada donnent le profil de leur consommation (achat de meubles, de pâtes alimentaires, de voyages, etc.). Bien entendu, les spécialistes du marketing ne peuvent pas savoir qui *vous* êtes ni ce que *vous* consommez, mais, avec votre code postal, ils peuvent en faire une estimation.

Plusieurs entreprises spécialisées ont d'abord catégorisé les codes postaux en fonction des principales variables sociodémographiques des ménages qui habitent les parcelles de territoire correspondantes. Ces codes postaux ont ensuite été regroupés selon leur degré de similarité. Ceux d'Outremont, à Montréal et ceux de Sillery, à Québec. Ceux de Limoilou, à Québec et ceux de Saint-Henri, à Montréal. Ceux de Mississauga, en Ontario, et ceux de Candiac, au Québec.

On a ainsi vu émerger des regroupements de 30, de 80, voire de 215 segments de la population portant des noms évocateurs – très maladroitement traduits de l'anglais, comme « adultes prospères », « jeunes casaniers », « familles en vogue » et même « contentements suburbains » et « banlieusards navetteurs[20] ».

Avec le temps, les modèles ont été ajustés et bonifiés. En combinant les bases de données de Statistique Canada et d'autres de diverses provenances – celles de grands magasins, d'enquêtes de crédit ou d'autres sources financières –, nous pouvons maintenant connaître votre profil de consommation moyen de manière assez précise. Nous pouvons estimer les chances que vous consommiez tel ou tel produit, ou encore la marge de manœuvre qui vous reste en matière de crédit. En associant votre code postal à de telles bases de données, on fait ce que l'on appelle du « géomarketing ».

Le géomarketing aide les annonceurs à mieux cibler leurs offres. C'est pourquoi le contenu de votre Publisac est différent de celui de votre belle-sœur. Vous n'avez pas les mêmes circulaires, et dans la circulaire d'un même commerce les produits offerts sont souvent différents d'un quartier à l'autre. Même chose pour les encarts placés dans votre quotidien. Que vous receviez celui de Moores ou celui d'Ogilvy en dit long sur votre profil de consommation. Ou, à tout le moins, sur la perception qu'en ont ceux qui veulent vous vendre quelque chose.

Bien entendu, cela vaut aussi pour la sollicitation téléphonique, car, si j'ai votre numéro de téléphone, j'ai votre code postal. Même chose pour la sollicitation par le Web dès que vous donnez votre code postal sur un site.

Vous aurez compris que, sans vous connaître personnellement, ni même par votre nom, on se rapproche progressivement de vous et de vos besoins, désirs et habitudes. Et ce, en toute légalité. On le fait depuis plus de 40 ans, de plus en plus et de mieux en mieux.

Puis vint le Web

Imaginez un instant que je puisse vous suivre sans que vous vous en rendiez compte. Je regarderais tout ce que vous lisez, les publicités que vous regardez, ce que vous achetez, ce que vous consommez, comment vous vous habillez, où vous allez et ce que vous mangez. Imaginez ensuite que, fort de cette information, je puisse vous proposer les produits et services qui vous feraient le plus envie au moment où vous y seriez le plus réceptif. Inquiétant ?

C'est pourtant ce qui se fait tous les jours sur le Web. Personne ne se terre au troisième sous-sol du siège social de Google, de Microsoft ou de Facebook afin de suivre votre navigation. En fait, il y a fort à parier que l'on ne sait même pas qui vous êtes et que l'on ignore tout de votre profil sociodémographique.

On ne connaît pas nécessairement votre nom, votre âge, votre sexe, votre niveau de scolarité, bref tout ce qui fait de vous un *individu*. Par contre, on sait ce que vous lisez, écoutez, regardez et achetez, sur quels sites vous naviguez et à quels groupes Facebook vous appartenez. Autrement dit, on en sait beaucoup sur tout ce qui fait de vous un *consommateur*. Devinez lequel des deux profils intéresse le plus les gens qui travaillent en marketing ? Bien sûr, si de surcroît vous étiez assez gentil pour nous donner votre code postal… on saurait ainsi si vous avez les moyens et l'espace suffisant pour accueillir ce super barbecue à quatre brûleurs de 50 000 BTU que vous reluquez depuis deux semaines sur Internet !

Voilà, résumé en quelques lignes, à quoi ressemble la nouvelle frontière du marketing. Un far west dans lequel nous sommes déjà bien engagés. Pour mieux comprendre cet environnement, permettez que je vous présente quelques outils technologiques.

Des *cookies* parfois indigestes

J'ai brièvement parlé, au début de ce livre, des *cookies* – qui ne sont pas de délicieux biscuits fondants. Appelés « témoins » en français, ce sont de toutes petites inscriptions insérées, généralement à votre insu, dans l'ordinateur, le téléphone intelligent ou la tablette numérique que vous utilisez. Ils prennent la forme d'une ligne codée, et permettent à la firme qui vous les a imposés lorsque vous avez visité son site de « reprendre le fil de la conversation » lorsque vous y retournez.

L'exemple le plus simple est le nom ou le numéro d'usager que vous utilisez quand vous visitez un site. Pensez à votre institution financière, à Hydro-Québec ou à la majorité des détaillants en ligne. Lorsque vous retournez sur l'un de ces sites, vous êtes accueilli par un beau bonjour suivi de votre nom, ou alors votre numéro d'usager apparaît instantanément à l'écran.

Magique ? Ben voyons ! En fait, il n'y a rien de plus simple. Dès votre arrivée sur un site, certaines de ses composantes peuvent aller fouiller dans le disque dur de votre ordinateur à la recherche du témoin qu'elles y ont déposé au cours d'une visite antérieure. Dès que celui-ci est repéré, la fouille se transporte dans les propres bases de données du site, afin d'en extraire l'information qui y est emmagasinée à votre sujet. C'est ainsi que votre nom ou votre numéro d'usager apparaît sur la page d'accueil du site.

Vous voyez, rien de bien menaçant. Sauf que, si ce mécanisme fonctionne pour votre nom d'usager, il doit aussi fonctionner pour tout ce que vous avez fait sur ce site. Les produits ou services auxquels vous vous êtes intéressé, ceux que vous avez peut-être achetés, ceux que vous avez décidé d'« envoyer à un ami ». Vous me voyez venir ?

Un site bien conçu garde votre profil de consommation en mémoire. Ce profil est constitué de tout ce que vous avez fait sur le site, chaque entrée étant constituée d'un couple « produit/temps passé », c'est-à-dire, pour chacun des produits ou des services auquel vous vous êtes intéressé (et que vous avez peut-être acheté), le temps que vous avez passé à « magasiner ».

Dans une telle base de données, vous êtes ce que vous consommez avec vos yeux et vos oreilles – ou, mieux encore, avec votre carte de crédit. Car si vous avez acheté quelque chose, le site a désormais enregistré vos nom, adresse, code postal (tadam !) et numéro de carte de crédit. La prochaine fois que vous y retournerez, croyez-vous que vous serez accueilli comme un visiteur anonyme ? À moins que ce site soit vraiment nul, il y a de bonnes chances que vous vous retrouviez dans un environnement qui, comme par hasard, reflétera passablement vos intérêts. Un enfant dans un magasin de bonbons…

Pour bien des gens, ce qui se passe « derrière » l'écran n'a pas beaucoup d'intérêt. Moins de 45 % savent ce qu'est un témoin, et moins de 40 % les effacent régulièrement[21]. Cela dit, parmi ceux qui connaissent leur existence, plus de la moitié les apprécient. Ils les perçoivent comme des outils qui permettent d'améliorer l'efficacité de leur navigation.

Les témoins, on le voit, peuvent procurer à une entreprise une information particulièrement riche sur les comportements de ses clients. Pourtant, la véritable puissance des témoins est ailleurs. Elle réside dans le partage, entre entreprises, des informations colligées sur plusieurs sites. De véritables empires sont ainsi en train de se constituer. Google, par exemple.

Vous cherchez des informations à l'aide de Google. Selon les termes utilisés, vous recevrez des résultats, mais aussi des publicités liées à ces mots clés. Rien de plus normal. Après tout, Google doit bien vivre. Mais comment vous sentez-vous lorsque vous utilisez votre messagerie Gmail (gracieuseté de Google) pour informer un ami que vous lui rendrez bientôt visite à Houston et que, dans la fenêtre publicitaire de votre boîte de courriel, apparaît la pub d'un restaurant situé – vous l'avez deviné – à Houston[22] ?

« BIEN SÛR QUE JE PROTÈGE MA VIE PRIVÉE...
JE NE PARTAGE MES RENSEIGNEMENTS PERSONNELS
QU'AVEC MES 700 MEILLEURS AMIS! »

Comment réagissez-vous lorsque l'information que vous placez dans Google Agenda afin de convenir d'un rendez-vous est également récupérée ? Ou que les vidéos que vous regardez sur YouTube (appartenant à qui, déjà ?) servent aussi, avec tout ce que l'on sait déjà sur vous – comme votre code postal, votre profil sociodémographique et les achats que vous avez faits sur Internet –, à préciser votre profil de consommation ? Regarder une vidéo, lire un livre ou un article de journal sur les sites de Google, voire partager des photos avec des amis ou avec le monde entier (dans Picasa, de Google), tout cela a une valeur pour l'entreprise californienne. Car tout cela vous définit, et aide Google à vous fournir de meilleurs résultats de recherche. Cette information lui permet aussi d'aider les entreprises qui veulent votre bien à prendre contact plus efficacement avec vous. Nous nous dirigeons vers un monde débordant de bienveillance !

Je ne donne pas cet exemple dans le but de stigmatiser Google. Beaucoup d'autres entreprises font la même chose, ou tentent de le faire. Cet exemple vise seulement à vous sensibiliser au fait que votre « code génétique de consommateur » est la somme de ce que vous laissez sur Internet. Donnez votre adresse, votre numéro de téléphone, votre nom ou votre courriel sur un site, et vous verrez qu'ils seront recueillis par d'autres. Il suffit que ces sites aient un témoin commun.

L'une des premières entreprises à avoir développé cette approche multi-sites s'appelle DoubleClick. Déjà, en 1998, elle savait parfaitement bien récupérer l'information laissée sur un site par des internautes afin d'aider un annonceur à leur vendre un produit à partir d'un autre site. Depuis, plusieurs entreprises lui ont emboîté le pas. Toutefois DoubleClick, notamment grâce à son système Dart, demeure la plus efficace. Surtout depuis qu'elle a été achetée en 2008 par… Google.

Si les témoins sont très efficaces sans être trop envahissants, d'autres mécanismes, dont les logiciels espions (*spywares*), le sont bien davantage. Pour bien vous faire comprendre la différence, disons que le témoin est au moustique ce que le logiciel espion est au scorpion. Alors que le premier n'est actif que si vous allez sur un site capable de le lire, le second est un petit logiciel, installé sur votre ordinateur, téléphone intelligent ou tablette numérique, qui moucharde tout ce que vous faites en temps réel. Ce que vous tapez au clavier, les sites sur lesquels vous naviguez et tout que ce que vous lisez, regardez ou écoutez sur Internet.

À qui rapporte-t-il ce qu'il a découvert? À des entreprises dont vous n'avez probablement jamais visité le site, et qui fonctionnent comme des agences de publicité. Ces entreprises recueillent toutes les données et les revendent à des annonceurs. Comment les logiciels espions s'introduisent-ils dans vos appareils? Ce sont généralement les distributeurs de logiciels «gratuits», dont beaucoup prennent la forme d'applications à télécharger, qui les installent – moyennant une certaine somme payée par ces agences de pub nouveau genre. Et vous qui, comme des millions de personnes, pensiez que ces logiciels étaient gratuits parce que l'être humain est foncièrement bon… Eh non, désolé, le père Noël n'existe pas.

En fait, et c'est là la beauté de ce système, tout cela est fait légalement. Sans que vous le sachiez, mais avec votre consentement. Vous n'avez jamais donné votre consentement? Permettez que je vous rafraîchisse la mémoire.

Lorsque vous téléchargez un logiciel gratuit, des conditions apparaissent à l'écran. Ces conditions, que nous sommes censés lire, mais que moins de 2 % de la population regarde, mentionnent en principe qu'un logiciel espion sera téléchargé sur votre ordinateur, souvent sans expliquer à quoi il servira. Vous vous souvenez de ce long texte que vous avez sauté pour pouvoir cliquer plus rapidement sur le bouton «J'accepte»? Voilà le contrat dont vous avez accepté les termes. Je sais, je sais, vous ne faites jamais ce genre de choses. Heureusement pour vous, moi je l'ai fait. Ce qui me permet de vous raconter l'anecdote suivante.

Il y a quelques années, je devais me rendre à Paris et j'avais complètement oublié de réserver une chambre d'hôtel. Comme c'était la Semaine du prêt-à-porter, tous les établissements que je connais affichaient complet. En désespoir de cause, j'ai inscrit les mots «hôtel» et «Paris» dans Google. Quelle n'a pas été ma surprise de voir apparaître à l'écran, au-dessus des résultats, un site dont la fonction était de m'aider à trouver une chambre à Paris selon la disponibilité réelle des hôtels, le tout ventilé par arrondissement!

En fait, j'avais dans mon ordinateur un logiciel espion, téléchargé à mon insu avec l'application Kazaa. Ce *spyware* avait vendu les mots «hôtel» et «Paris» à ce site où j'ai cherché un hôtel, qui, en retour, a reçu une commission de l'établissement que j'ai choisi. Une approche très efficace qui, je dois le dire, a sauvé mon voyage.

Cette anecdote nous apprend trois choses.

1. Les logiciels espions sont envahissants et peuvent être dangereux, mais ils sont souvent très utiles.

2. Derrière cette approche se développe une toute nouvelle façon de faire de la publicité – nous le verrons plus en détail au prochain chapitre.

3. Mon historique de navigation est plutôt prude, puisque, après avoir tapé les mots « hôtel » et « Paris », j'ai été contacté par des hôteliers et non pas par le site de Paris Hilton elle-même.

Du strict point de vue du marketing, cette approche pourrait être qualifiée de « géniale », puisqu'elle permet, simplement grâce à l'observation des agissements des consommateurs, de leur proposer immédiatement ce qu'ils recherchent.

Ainsi, si votre ordinateur renferme des logiciels espions, attendez-vous à voir apparaître, quand vous naviguez sur le Web, des publicités très ciblées, mais non sollicitées. Vous tapez l'adresse du site de votre marque de voiture favorite ? Vous risquez de voir surgir à l'écran des annonces de concessionnaires ou, même, de marques concurrentes. En espionnant, en temps réel, les comportements des consommateurs, ces logiciels arrivent à ajuster l'offre publicitaire comme jamais auparavant.

En principe, un publicitaire pourrait désormais s'adresser à un internaute de manière très personnalisée. « Cher Monsieur Tremblay, au cours des cinq dernières minutes, vous avez visité 27 sites à la recherche d'information sur des terrains de golf en Arizona. Ne cherchez plus, nous avons une offre imbattable pour vous. »

Mais il n'est pas certain que M. Tremblay apprécierait. Le journaliste américain Joel Stein a trouvé assez dérangeant de se faire proposer un resto à Houston juste après avoir annoncé, par courriel, sa visite à un ami qui habite cette ville[23]. Des pratiques comme le reciblage (*retargeting*), grâce à laquelle un article que vous avez examiné chez un détaillant en ligne vous est proposé à nouveau sur d'autres sites, suscitent aussi beaucoup de plaintes des consommateurs. S'il vous a fallu un tel effort de volonté pour résister à ce magnifique sac à main, vous n'avez peut-être pas envie qu'il revienne vous narguer au moment où vous faites des recherches pour souscrire à un REER. Des commerçants comme Zappos.com ont d'ailleurs commencé à revoir leur approche pour ne pas paraître trop intrusifs.

Et l'iris des yeux dans tout cela?

Je pourrais donner des pages et des pages d'exemples, mais vous avez saisi l'essentiel. Dans le chapitre qui suit, nous verrons à quoi sert l'information ainsi recueillie. Pour l'instant, gardez à l'esprit que, si le Web en général est un outil incroyable pour permettre aux gens qui travaillent en marketing de vous suivre, c'est encore plus vrai avec Twitter et Facebook. Et c'est la même chose avec vos cartes de crédit de grand magasin et vos diverses cartes de fidélité.

Bref, on n'a pas vraiment d'effort à faire pour vous suivre: vous nous donnez vous-même l'information. Étrange n'est-ce pas? Surtout quand on sait que de nombreuses entreprises seraient prêtes à payer pour ce que vous leur donnez.

Mais n'oubliez pas que, dans le cas du marketing sur Internet, ce n'est pas votre vrai nom, ni votre âge ou votre sexe qui a le plus de valeur. C'est votre profil de consommation et des informations sur vos habitudes de navigation. Si j'ai une façon de vous rejoindre sur Facebook, sur Twitter ou sur le Web, alors je saurai bien vous inciter à consommer.

Et l'iris des yeux dans tout cela? Nous y sommes déjà, mais pour des applications restreintes, comme le passeport électronique. Le système peut vous reconnaître, à condition que vous soyez à moins d'un mètre et que vous bougiez peu. Bien que cette technologie soit maintenant utilisée dans plusieurs aéroports, notamment en Grande-Bretagne, je ne peux m'empêcher de sourire en pensant aux nombreuses fois où j'ai pu passer à la douane d'Heathrow plus rapidement que certains collègues qui se débattaient devant le lecteur biométrique. Nous ne vivons pas encore dans le même monde que Tom Cruise dans *Minority Report*.

Rassuré? Ce n'est pourtant qu'une question de temps avant que cette technologie ne soit mise à la disposition des experts en marketing. Alors nous serons en mesure, dans le monde réel et sans vous poser la moindre question, de savoir qui vous êtes et, surtout, ce que vous aimez consommer. Il suffira que vous ayez un jour accepté que votre iris soit numérisé et que cette information ait été couplée à votre profil de consommation pour que celui-ci s'enrichisse à l'infini au fil de vos déplacements – sur le Web et dans les commerces équipés de tels systèmes.

Vous croyez que je délire? C'est que vous n'avez jamais participé à un congrès de marketing. Ça fait des années que l'on y parle de ce genre de technologie. Et, chaque fois, les yeux des spécialistes deviennent très, très brillants...

Chapitre 5

« Pousse-le du côté qu'il va tomber »

Je voyage beaucoup, principalement pour affaires, ce qui m'amène à utiliser ma carte de crédit dans toutes sortes d'endroits. Des hôtels et des restaurants, bien entendu, mais aussi des magasins de vêtements pour homme (j'oublie toujours mes cravates) et des magasins de matériel électronique (j'oublie tout aussi souvent le bloc d'alimentation de mon ordinateur), dans des lieux aussi variés que Pékin, Bucarest, Vienne, New York ou Atlanta.

Pourtant, Visa ne m'a jamais téléphoné, comme ça vous est peut-être déjà arrivé, pour vérifier si c'était vraiment moi qui dépensait ainsi, de par le monde.

Or, il y a quelques années, alors que je tentais d'acheter une console de jeux vidéo pour mes enfants, ma carte a été refusée chez Future Shop. Vous pouvez imaginer ma surprise et ma gêne, devant huit personnes qui attendaient derrière moi à la caisse, un 22 décembre. Le commis, néanmoins fort aimable, m'a mis en communication avec le centre Visa. Au bout du

fil, une gentille dame m'a posé plein de questions personnelles afin de vérifier mon identité. Le problème? Mon achat était «atypique», compte
tenu de mon profil de consommation. Vous vous rendez compte? Je peux
impunément commander une *racitura*[24] à Bucarest, mais si je veux acheter
une console de jeux pour mes enfants chez Future Shop, je suis suspect!

Il y a près de 71 millions de cartes de crédit en circulation au Canada[25].
Leurs détenteurs les ont utilisées 2,7 milliards de fois en 2010[26], soit environ huit fois par mois chacun. Pour ma part, j'ai dû utiliser ce mode de
paiement environ 7 000 fois dans ma vie et, je dois le reconnaître, je n'ai
pas très souvent acheté de console de jeux. Chapeau aux gens de Visa qui
surveillent, pour ma sécurité et la leur, à quoi sert ma carte.

Visa, vous l'aurez deviné, pas plus que Google, Microsoft ou Facebook ne
cache une armée d'analystes dans son troisième sous-sol pour épier vos
moindres mouvements. L'entreprise utilise des algorithmes sophistiqués
qui, à partir de l'historique de vos transactions, dressent votre profil de
consommation. Ici encore, vous devenez ce que vous consommez. Grâce à
ces données, vous êtes classé dans un groupe de milliers d'autres détenteurs qui ont sensiblement le même profil d'acheteur que le vôtre. Ces
autres clients sont en quelque sorte vos «clones», en matière de consommation. Comme vous, ils font certaines choses assez régulièrement, et
d'autres jamais. Lorsque vous faites un achat qui se distingue nettement de
ceux qui sont associés à votre groupe, un signal se déclenche.

Et, je l'avoue, lorsque j'ai réalisé que je faisais partie de ces gens qui n'achètent jamais de console de jeux à leurs enfants, j'ai eu un peu honte de moi.

Pourquoi vous ai-je raconté cette anecdote? Non pas pour que vous preniez
mes enfants en pitié. Ils ont maintenant près de 25 ans et il y a bien longtemps qu'ils s'achètent leurs consoles eux-mêmes. Je vous ai raconté cette
histoire pour vous faire réaliser que, si votre profil de consommation peut
avertir Visa de ce que vous n'êtes pas censé acheter, imaginez à quel point il
peut être utile pour dire à ceux que cela intéresse ce que vous êtes susceptible
d'acheter! Les spécialistes du marketing doivent cependant construire votre
profil avec d'autres données que celles que détiennent les grands émetteurs
de cartes de crédit, car celles-ci sont farouchement protégées. Les normes de
sécurité et de confidentialité qui entourent les informations portant sur les

transactions faites avec les principales cartes sont parmi les plus strictes du monde[27]. Mais, comme je vous l'ai mentionné, ce ne sont pas les sources de données qui manquent. Vous êtes si prodigue de l'information qui vous concerne.

Dans *Jean de Florette,* le film réalisé par Claude Berri à partir du merveilleux roman de Marcel Pagnol, le Papet, incarné par Yves Montand, dit à son neveu Ugolin (Daniel Auteuil), en parlant de Jean de Florette (Gérard Depardieu), un citadin naïf qui rêve de s'installer à la campagne : « Pousse-le du côté qu'il va tomber. »

Le Papet veut s'emparer de la terre de Jean de Florette, et il lance cette phrase à Ugolin, qui, pour aider son oncle, veut décourager le citadin en lui décrivant les énormes difficultés qui menacent son rêve. Mais le Papet a une autre stratégie en tête : « Dis-lui au contraire que l'authentique, c'est formidable. Que la pluie ne lui fera jamais faute et qu'il doit commencer tout de suite ses vastes projets. » Pour le Papet, il ne faut pas tenter de décourager Jean de Florette, mais plutôt l'encourager à réaliser son rêve d'élever des lapins et de faire pousser des courges sur une terre sans eau. Le pousser « du côté qu'il va tomber » : voilà la stratégie du Papet.

Cette phrase, d'un cynisme frisant la cruauté, est un peu trop forte pour décrire les excès du marketing. Mais, chaque fois que je conçois une stratégie de marketing croisé pour une entreprise ou une agence de publicité, rien n'y fait, cette scène me revient à l'esprit. Car l'objectif du marketing moderne est justement de pousser les consommateurs vers les produits et services qu'ils sont les plus susceptibles d'acheter. Rien de répréhensible en soi. Par contre, lorsque cette approche fait augmenter les dépenses des consommateurs au-delà de leur capacité de payer, on s'aventure alors en terrain très glissant. Le risque de dérapage, comme on l'a vu en 2008, est bien réel.

Un chausson avec ça ? Prise 2

Cette phrase est désormais un classique de la publicité. Popularisée grâce aux restaurants McDonald's, elle est l'exemple parfait de ce qu'est le marketing croisé. Au moment où un client achète un article, on lui fait une offre complémentaire. Rien de nouveau sous le soleil, cela se fait depuis des décennies.

Au client qui achète un complet, par exemple, on demande s'il a besoin d'une chemise ou d'une cravate assorties. À celui qui achète un réfrigérateur, on propose le service de livraison ou, mieux, une garantie prolongée.

Ce qui a changé depuis une vingtaine d'années, c'est la précision et la complexité de l'information sur laquelle reposent les offres de ce type. Ce qui se profile depuis les années 1990 n'a plus rien à voir avec le simple fait de proposer un article additionnel. Me faire offrir un chausson aux pommes chez McDonald's ne porte pas tellement à conséquence. Deux minutes avant que je commande mon Big Mac, on ne me connaissait pas, et, deux minutes après, on m'aura oublié. Ce type d'offre n'est possible que parce que le client est là, en chair et en os devant le commis ou le vendeur, qui, lui, a reçu la consigne de mousser un produit complémentaire.

La véritable révolution se produit lorsqu'on sait, avant même que le client ne se présente, ce que l'on devrait lui offrir pour l'intéresser. Lorsqu'on peut modifier les offres d'un client à l'autre. Et lorsqu'on peut lui présenter des produits ou des services que vend un autre commerçant. Si l'une de ces conditions est présente ou, mieux encore, si elles sont toutes réunies, la proposition sera beaucoup plus tentante. Nettement plus qu'un chausson aux pommes offert indistinctement à tous les clients, sans même savoir si celui à qui on l'offre aime ou non les desserts. Parce que, si ce n'est pas le cas, mieux vaut lui proposer autre chose. Lui proposer quoi, alors? Les mécanismes qui permettent de le savoir existent déjà. Ils sont de plus en plus utilisés et constituent une tendance de fond en marketing.

Pour se servir de ces mécanismes, manufacturiers et commerçants ont besoin d'information. De beaucoup d'information. Mais, comme nous l'avons vu au chapitre précédent, ils n'ont pas beaucoup d'efforts à faire pour se la procurer. Cette information existe, elle est disponible, elle se transige et s'échange plus souvent avec votre consentement. C'est le cas dans l'univers virtuel du Web, mais aussi dans votre environnement bien réel. Lorsque ces deux mondes se rencontrent et mettent leurs informations en commun, leur efficacité est décuplée.

Le génie d'Amazon

Nous avons déjà parlé de ce génie du marketing qu'est le détaillant en ligne Amazon. Il n'est pas le seul à exploiter la force du marketing croisé sur le Web, mais disons que, s'il fallait attribuer la paternité de la recette, elle lui reviendrait sûrement.

Amazon est l'une des premières entreprises à avoir utilisé le plein potentiel des systèmes de recommandation. Que vous soyez ou non un habitué du site Amazon.com importe peu, puisque vous avez sûrement goûté à cette stratégie ailleurs.

Vous regardez un article, vous cliquez pour en savoir davantage, ou encore pour l'acheter… et vous recevez aussitôt une série de recommandations : « les clients qui ont acheté cet article ont aussi acheté celui-ci ». On joue en temps réel sur la complémentarité des produits. Simple et assez irrésistible. J'en sais quelque chose.

Je suis un maniaque d'opéra. Plus précisément d'opéra baroque. En fait, c'est pire encore. Je suis un fan fini des opéras baroques anglais, plus particulièrement ceux de Händel et de Purcell. J'imagine que, en incluant ma femme et moi, il y a à peu près quatre personnes au Canada qui aiment ce genre de musique. Difficile, donc, de trouver des gens qui puissent servir de références fiables pour me pousser à consommer davantage grâce à des recommandations. Et pourtant !

Chaque fois que je visite Amazon.com, j'ai l'impression d'être cet enfant dans un magasin de bonbons que j'ai évoqué au chapitre précédent. Voilà quelques mois, alors que je regardais les titres de Purcell, on m'a suggéré des opéras de Vivaldi. J'ai alors découvert non seulement que Vivaldi a composé plus de 45 opéras, mais, aussi, que je peux acheter la plupart d'entre eux après en avoir écouté des extraits (oui, bon, je sais, Vivaldi était italien et non anglais, mais c'était quand même pour moi une découverte excitante). À 20 $ le coffret, Amazon a trouvé le moyen d'empocher jusqu'à 900 $ de plus grâce à moi.

L'entreprise n'a d'ailleurs pas eu besoin de beaucoup d'information pour me faire une telle offre. Elle n'a eu qu'à noter ce que je regardais et ce que j'achetais, et à me définir comme la somme de ces actions. Et je le répète, personne n'est caché au troisième sous-sol pour m'espionner. Sur les millions de personnes qui fréquentent Amazon.com, il en existe des milliers qui sont, à très peu de choses près, mes « clones » en matière de consommation (je l'avoue, j'ai un petit pincement au cœur quand j'y pense). Il suffit de noter les disques qu'ils ont achetés et que je n'ai pas encore, et de me les proposer.

Bien entendu, cela ne vaut que si j'achète presque tout chez Amazon. Sans quoi on risque de me proposer des titres que j'ai déjà, et le magasin de bonbons perd de son attrait. Le plus étonnant, c'est qu'un nombre grandissant de consommateurs (dont vous faites peut-être partie) contribuent volontairement à ce type de stratégies. Pour ne pas rompre le charme, ils deviennent extrêmement fidèles aux sites où on les connaît si bien. Cela vous étonne? Notre comportement avec les commerçants en ligne n'est pas différent de celui que nous avons avec les commerçants qui ont pignon sur rue. De nombreuses recherches ont démontré que nous avons tendance à être fidèles aux entreprises qui nous connaissent et qui semblent le plus apprécier notre clientèle[28].

Deux facteurs contribuent le plus à cet attachement. La capacité des commerçants à s'adapter à nos besoins, donc à ne pas nous offrir des articles de façon impersonnelle, mais plutôt qui correspondent à ce que l'on cherche en général. Et leur capacité à se rappeler qui nous sommes. Imaginez combien de querelles de couple on s'épargnerait si l'on se souvenait de ces deux petits détails! Chez Amazon, ce souci de bien suivre le profil de chaque consommateur est à ce point ancré dans la culture d'entreprise que lorsqu'un client achète un article, on lui demande si c'est pour offrir en cadeau. Une délicate attention? Pas tout à fait. En fait, Amazon doit exclure ces cadeaux du profil de l'acheteur, afin de ne pas le fausser.

Cette approche, sur laquelle repose une part importante du marketing croisé, se nomme «profilage collaboratif». Une fois établi, votre profil (amateur d'opéra baroque, par exemple) et ceux de millions de «clones» sont regroupés. Leur historique de consommation servira ensuite à vous guider dans votre magasinage, d'où le terme «collaboratif». On compare ce qu'ils ont acheté avec ce que vous n'avez pas encore, afin de vous l'offrir. Cette «collaboration» des clients est bien involontaire, vous l'aurez compris.

Si cette approche est fascinante, son histoire l'est tout autant et mérite d'être racontée. Elle commence en 1995 à Boston, plus précisément au MIT (Massachusetts Institute of Technology). À cette époque, une jeune professeure du nom de Pattie Maes, aidée de quelques étudiants, s'intéresse à une question fondamentale: comment, dans un monde qui sera bientôt inondé d'informations (le Web, rappelons-le, commence à émerger), les êtres humains pourront-ils réussir à prendre facilement une décision ? Pour y répondre, les chercheurs mettent sur pied un projet appelé Firefly.

La solution qu'ils ont adoptée était à la fois simple et brillante : regrouper des individus selon leur profil. À l'origine limité aux choix de musique (Bignote) et de films (Filmfinder), ce système visait à permettre à des individus d'en aider d'autres à décider quoi acheter. Pour ce faire, on demandait aux participants de répondre à un long questionnaire dans lequel ils révélaient leurs intérêts, les produits et services qu'ils achètent, leurs préférences culturelles, etc. Une sorte de questionnaire d'agence de rencontre couvrant tous les aspects de la vie. Les chercheurs – ou plutôt un ordinateur utilisant un algorithme conçu pour cette tâche – filtraient alors ces réponses pour regrouper les individus se ressemblant le plus.

Ensuite, on laissait les participants communiquer entre eux afin qu'ils s'aident les uns les autres à faire des choix. Vous avez adoré la série des « Parrain » et vous cherchez quelque chose d'autre dans le même genre ? Il suffit de demander aux membres de votre groupe s'ils ont des recommandations à vous faire.

Si vous êtes un habitué des réseaux sociaux, vous trouvez sans doute le procédé banal. Facebook fait tout cela, et bien plus encore. Certes, mais gardons à l'esprit qu'à l'époque où le projet Firefly a été lancé, Mark Zuckerberg, le créateur de Facebook, n'avait que 10 ans !

Pour qu'un système comme Firefly puisse vraiment être efficace, il fallait avoir beaucoup d'informations sur les participants. Et que ceux-ci se comptent non pas par milliers, mais par millions. Qui aurait voulu que ses choix en matière de musique soient influencés par seulement trois personnes – un cracheur de feu en Asie Mineure, un ado de 13 ans amateur de musique heavy metal et votre sœur aînée ? De plus, l'algorithme et les systèmes utilisés devaient être extrêmement rapides.

D'abord limité, car ne comptant que quelques milliers d'adhérents, Firefly Network a rapidement été commercialisé, avant d'être vendu en 1998 à Microsoft. Fort de ses millions d'usagers, Microsoft a développé son propre système de profilage collaboratif, aujourd'hui utilisé sur plusieurs sites. Votre profil de consommation s'enrichit de site en site, un peu comme avec des *cookies* auxquels on ajouterait toute l'information que vous donnez volontairement – votre nom, votre adresse et, dans certains cas, votre numéro de carte de crédit. C'est le programme Passport, rebaptisé par la suite Windows Live ID, et dont votre adresse Hotmail n'est que la pointe de l'iceberg[29]. Tous ces systèmes, comme nous l'avons vu, permettent à tous les sites que vous avez l'habitude de visiter de vous faire des offres de plus en plus personnalisées.

Le marketing croisé sur le Web ne se limite pas au profilage collaboratif. Une autre de ses manifestations les plus efficaces est le marketing par affiliation. Si vous avez déjà navigué sur le site d'une compagnie aérienne, vous savez de quoi je parle. Dès que vous avez conclu une transaction (un vol Montréal-Barcelone, par exemple), on vous offre des chambres dans des hôtels de la ville où vous allez. Ce marketing croisé n'est rien d'autre que l'approche « complet-chemise-cravate » évoquée plus haut. À la différence qu'ici, l'offre complémentaire ne vient pas seulement du marchand qui vient de vous vendre quelque chose, mais aussi d'autres entreprises. Chez Amazon, les recommandations qui vous sont faites sur la base de vos achats antérieurs génèrent, rappelons-le, 30 % des ventes, soit environ 10 milliards de dollars par an.

Le Papet avait raison : il suffit de pousser le consommateur du côté qu'il va tomber.

À quoi peuvent bien servir mes points Air Machin ?

Vous voilà prévenu. Plus vous naviguerez sur Internet, plus votre profil de consommation deviendra détaillé et complet, ce qui permettra à une armée de sites commerciaux de vous faire des offres de mieux en mieux ciblées, et de les assortir d'une panoplie de produits et services complémentaires.

Pour une grande majorité de consommateurs, cette approche est géniale, puisqu'elle rend leur magasinage plus efficace, réduit le nombre de sollicitations inopportunes et les informe rapidement des produits et services susceptibles de les intéresser. Comme nous le verrons au chapitre 8, cette approche transforme en même temps toute l'industrie du marketing.

Le Web, parce qu'il rejoint pratiquement tous les consommateurs nord-américains, qu'il permet à des réseaux de commerçants de faire ou de défaire des alliances en quelques minutes, et que l'information au sujet des consommateurs y abonde, est un milieu privilégié pour appliquer des pratiques commerciales croisées. Toutefois, celles-ci prospèrent aussi très bien à l'extérieur du Web.

Comment ? Regardez dans votre portefeuille. Combien de cartes de crédit de grands magasins, de cartes de crédit donnant droit à des points ou encore de cartes de fidélité avez-vous ? Combien de voyages avez-vous faits ou combien de machines à espresso avez-vous achetées grâce à ces cartes ?

Si vous êtes comme moi et une majorité de consommateurs, vous vous demandez sans doute quand vous utiliserez tous ces points. Ces programmes de fidélité n'existent pas seulement pour vous faire rêver. Ils servent les intérêts des entreprises qui les mettent en place. Comme leur nom l'indique, ils visent à fidéliser la clientèle, afin que les consommateurs achètent davantage chez le commerçant qui offre le programme en question, que chez ses concurrents. Rien de bien compliqué, direz-vous. C'est pourtant l'une des plus grandes révolutions qu'ait connues le marketing dans les années 1980.

Jusque-là, le principal objectif était de gagner des parts de marché. Celles-ci se mesuraient soit en nombre de clients, soit en dollars de vente. Plus la part de marché d'un commerçant était grande, meilleure était sa performance.

Ce n'est que vers le début des années 1970, sur la base d'une série d'analyses produites par le Harvard Management Science Institute et inspirées du programme PIMS[30], que l'on s'est rendu compte que cette mesure de performance ne suffisait pas. Elle ne prenait pas assez en considération l'impact de ladite augmentation de parts de marché sur les profits des entreprises. On a alors compris que certains clients n'étaient tout simplement pas rentables[31]. Ceux qui achètent uniquement les produits en solde, par exemple, ne sont pas très intéressants pour les commerçants.

C'est pour résoudre ce problème que les programmes de fidélisation modernes (souvent appelés « programmes de *loyauté* » par emprunt à l'anglais) ont été créés. Programmes qui, soit dit en passant, ne sont pas nés sous forme de cartes de plastique mais, comme le savent les lecteurs de Michel Tremblay, sous forme de timbres-primes. On présumait alors que les consommateurs, pour engranger le plus de points possible, arrêteraient de butiner d'un magasin à l'autre en quête des meilleures aubaines. Et que, du coup, ils achèteraient de plus en plus d'articles à prix régulier.

Le marketing est alors passé d'une logique visant à maximiser les parts de marché d'un commerçant, à une logique visant à maximiser la part de son budget que chacun de ses clients dépense chez lui. Pour y arriver, rien de mieux que de s'attacher ce client. C'est, en principe, à quoi servent les programmes de récompenses. Dans les années 1980, un nouveau pas a été franchi. Tant qu'à fidéliser les consommateurs, pourquoi ne pas en apprendre davantage sur eux? D'autant que les cartes à bande magnétique le permettaient désormais. Enfin, nous allions tout savoir sur Germaine Lauzon[32]!

Sauf que les premiers programmes étaient souvent mal conçus. Je me souviens d'avoir été invité, au début des années 1990, au siège social québécois d'un géant de l'alimentation pour donner mon avis sur ces programmes au vice-président marketing de l'époque. Je lui avais dit que ceux-ci, en particulier celui auquel son entreprise venait de s'associer, me rappelaient un vieil âne, que j'avais vu quand j'avais quatre ans au zoo de Granby, où ma grand-mère m'avait amené. On m'avait assis sur l'animal armé d'une tige au bout de laquelle était attachée une carotte en m'expliquant bien que, pour faire avancer l'âne, il fallait toujours lui montrer la carotte sans jamais le laisser la manger, sans quoi il arrêterait de marcher. Même si j'étais très jeune – et sans doute déjà destiné à travailler en marketing –, je trouvais le procédé injuste et absurde.

Je n'ai pas eu à expliquer ma parabole bien longtemps. On m'a poliment montré la porte, et l'on a attendu un certain temps avant de me réinviter. Et le programme de fidélisation? Le détaillant y a mis fin quelques années plus tard, non sans avoir perdu plusieurs dizaines de millions de dollars. L'âne était sans doute mort de faim.

Le problème, c'était que, pour pouvoir s'offrir un seul aller-retour Montréal-Boston (qui, de madame ou de monsieur, en profiterait?), un ménage québécois moyen aurait dû faire toute son épicerie chez ce détaillant durant plus de trois ans.

Heureusement, ces programmes se sont beaucoup améliorés. À partir du moment où l'on a compris que leur valeur réside avant tout dans l'information qu'ils permettent de recueillir sur les comportements des clients, les choses ont commencé à changer. En offrant aux consommateurs d'encaisser leurs points plus rapidement, le jour même en magasin au besoin, on les encourage à revenir et à demeurer fidèles non seulement au commerçant, mais aussi au programme.

Le lecteur optique avec lequel le caissier enregistre tous les produits achetés sert aussi à balayer la carte du client. Les gestionnaires des programmes et les marchands participants savent alors qui achète quoi. Ce qui leur permet ensuite de proposer des aubaines non plus sur *des* produits, mais bien sur *les* produits achetés par *ce* client.

Cela se fait de plusieurs façons. Les réductions de prix peuvent être appliquées à la caisse, comme c'est de plus en plus souvent le cas, ou encore de manière différée. On peut aussi doubler ou tripler le nombre de points offerts à l'achat de certains articles. On peut même offrir de le faire sur des articles qu'un client n'achète pas, mais que les consommateurs ayant un profil semblable au sien utilisent. Bref, le marketing croisé tourne à plein régime.

C'est ainsi que les points des programmes de fidélité ont commencé à avoir une valeur pour tous. Pour le consommateur qui pense les utiliser, mais aussi, et surtout, pour le commerçant. Ces points lui coûtent cher, mais il peut désormais s'en servir pour accroître ses ventes.

On note ce que vous achetez et on vous donne des points afin que vous puissiez acheter davantage. Soyez assuré que votre tendance à fréquenter ce détaillant s'accroîtra de manière significative[33]. Ces approches ont pour la plupart été conçues et perfectionnées au Royaume-Uni, ce pays étant, de loin, le chef de file en matière d'ingénierie de programmes de fidélité – ceux du géant de l'alimentation Tesco et du pharmacien Boots sont probablement les plus sophistiqués. Le programme metro&moi s'est inspiré avec succès de ces modèles.

Ces programmes deviennent encore plus efficaces lorsqu'ils s'étendent à plusieurs détaillants. Le profil de consommation des clients ainsi obtenu est beaucoup plus détaillé, et les offres ciblées qui peuvent en découler sont alors plus rentables, parce que la probabilité que les clients les utilisent est plus grande. Ce type de programmes existe depuis longtemps. Air Miles, qui est offert par de nombreux commerçants, permet en principe d'avoir un portrait approfondi des habitudes de consommation des adhérents. Même chose pour Aéroplan, qui permet de compiler des données de divers commerces.

Au Royaume-Uni, le populaire programme Nectar permet, depuis 2002, de combiner les points d'un grand nombre de détaillants en un seul programme. LMG, la firme britannique qui exploite ce programme, a été rachetée en décembre 2007 par le Groupe Aéroplan. Comme LMG détenait aussi les droits de la marque Air Miles dans le monde, les marques Aéroplan et Air Miles sont désormais détenues par la même entreprise canadienne[34].

En passant, si vous croyez qu'Aéroplan est toujours une obscure division d'Air Canada, détrompez-vous. Le Groupe Aéroplan est une société indépendante cotée en Bourse dont les actifs atteignent 5,1 milliards de dollars, soit presque la moitié de ceux d'Air Canada. Commencez-vous à réaliser la valeur de votre profil de consommation ?

Mais, en pratique, est-ce que ça marche ?

En 2005, 60 % des ménages américains possédaient une carte de fidélité. Cinq ans plus tard, cette proportion avait grimpé à 75 %. Au Canada, 10 millions de ménages avaient une carte Air Miles en 2010, soit plus de deux ménages sur trois ; si l'on ajoute les autres programmes de fidélisation disponibles ici, on se rapproche de 80 % des ménages.

Pourtant, tous les consommateurs n'utilisent pas tous leurs points – ni même ne savent combien ils en ont. Près de 30 % des Québécois en auraient déjà assez pour se payer un voyage, et 95 % pour s'offrir un autre type de prime. Cependant, le taux d'utilisation des points accumulés a plus que doublé au cours de 10 dernières années. Au Québec, on estime que plus de 60 % des adhérents échangent leurs points contre un produit ou un service à un moment ou à un autre.

L'augmentation du taux d'encaissement s'explique en grande partie par le fait que les programmes sont plus flexibles et permettent souvent l'utilisation de petites quantités de points à la fois, un peu à la façon dont les dollars Canadian Tire ont toujours fonctionné. Malgré tout, les points payés par les marchands, mais jamais échangés par les clients, contribuent de façon non négligeable à la rentabilité des entreprises qui gèrent ces programmes.

On sait aussi que les clients ayant une carte de fidélité dépensent, dans les commerces où cette carte est valide, 7 % à 10 % de plus en moyenne que les clients qui n'ont pas cette carte. Cet accroissement des ventes justifie amplement l'utilisation des programmes de fidélité par les détaillants.

Si les marchands et les gestionnaires de programmes de fidélité en ont pour leur argent, ce n'est pas toujours le cas des clients. En effet, les primes offertes ne valent qu'une fraction de la somme qu'il faut dépenser pour les obtenir. Avec Aéroplan Canada, par exemple, il faut 30 500 points pour obtenir une machine Nespresso Citiz[35]. Comme les commerçants versent habituellement un point par dollar facturé, on doit avoir fait pour 30 500 $ d'achats pour accumuler assez de points pour s'offrir cette machine espresso d'une valeur de... 300 $!

La valeur des récompenses oscille généralement entre 0,1 % et 1 % des sommes dépensées par les consommateurs dans le cadre du programme. Oui, fidèle utilisateur : on vous redonne seulement de 0,001 $ à 0,01 $ pour chaque dollar que vous déboursez ! Pas besoin d'être comptable pour y voir clair. Ces programmes ne sont payants que si l'on achète uniquement ce dont on a besoin. Si vous vous mettez à vous procurer des choses inutiles ou superflues pour obtenir plus de points, vous perdrez au change, c'est certain. Vous feriez mieux de payer le billet d'avion ou la machine à espresso de vos rêves en espèces sonnantes et trébuchantes. Vous verriez alors combien cela coûte réellement, et vous auriez plus de choix.

D'autant que les gestionnaires de ces programmes ont la détestable habitude d'augmenter le nombre de points exigés pour avoir droit aux primes. Juste au moment où vous vous apprêtez à mordre dans la carotte, on l'éloigne de votre nez sans crier gare. C'est ce qu'Aéroplan a fait pour plusieurs vols à l'été 2011. Mais, parfois, l'âne se rebiffe. La chaîne Pharmaprix a suscité un tollé en 2010 lorsqu'elle a augmenté de presque 15 % le nombre de points nécessaires pour obtenir 10 $ de réduction grâce à son programme Optimum.

Telle est donc la monnaie commune qui unit les marchands aux consommateurs. Sur le côté pile de la pièce se trouve le marchand. Pour lui, ces programmes n'ont de valeur que si les clients font chez lui des achats qu'ils n'auraient pas faits autrement, ou qu'ils auraient faits ailleurs. Le consommateur, lui, se trouve sur le côté face de la même pièce. Ces programmes n'ont de valeur pour lui que s'ils lui permettent d'obtenir des produits et services qu'il désire, sans que ses achats lui coûtent plus cher. Autrement dit, le commerçant doit offrir un programme rentable pour lui sans pour autant abuser de ses clients. Les programmes auxquels vous adhérez vous en donnent-ils vraiment pour votre argent?

Pour garder la faveur des marchands et des consommateurs, ces programmes se raffinent de plus en plus. On le voit chez de nombreux détaillants britanniques, et ici, avec un programme comme metro&moi. Le client peut désormais, à partir du Web ou directement en magasin, savoir, parmi les articles *qu'il a l'habitude d'acheter*, lesquels sont en solde et lui permettraient aussi de doubler ses points. On lui fait aussi de plus en plus de suggestions pour qu'il essaie, souvent à prix réduit, des produits qu'il n'a pas encore achetés, mais dont, selon son profil de consommation, il devrait raffoler.

Au lieu d'offrir les mêmes aubaines à tous, on fait des propositions sur mesure. Une circulaire personnalisée, en quelque sorte. Du coup, la fidélité n'est plus seulement motivée par la perspective d'un hypothétique voyage, mais par des offres et des aubaines plus attrayantes que celles qui sont annoncées ailleurs. Non seulement on vous permet de mordre dans la carotte que l'on vous tend, mais on vous en présente différentes variétés, pour vous garder en appétit.

Le tout grâce à qui? Grâce à vous et à toutes ces données personnelles que vous fournissez si généreusement.

Une petite incursion dans le futur?

Si je vous parle des cartes de fidélité depuis le début de ce chapitre, c'est qu'elles se multiplient dans nos portefeuilles. Pourtant, elles sont progressivement remplacées par des programmes qui fonctionnent grâce aux cellulaires. Comme celui du magasin IKEA de Seattle: il suffit d'envoyer un message texte pour recevoir des codes de réductions exclusifs à scanner en magasin. D'autres commerçants offrent plutôt des applications à télécharger, qui vous donnent votre solde de points et vous proposent toutes sortes d'aubaines en temps réel, tout en fournissant au marchand l'information qu'il recherche à votre sujet.

Votre cellulaire est doté d'un GPS ? Bravo ! Les applications comme celle que propose Air Miles permettent de repérer les marchands participants à proximité et donnent accès à des aubaines exclusives qui y sont offertes.

Des développeurs ont aussi créé des applications utilisables dans de nombreux magasins différents. C'est le cas de Shopkick, qui accorde des points pour le simple fait d'entrer dans un commerce participant, ou d'y scanner le code à barres d'un produit précis. Même Foursquare, sous des dehors ludiques, donne accès à des aubaines et à de petits cadeaux, et aide les commerces à attirer et à faire revenir des clients.

Toutes ces applications permettront, au moment où vous passerez devant un magasin, de vous suggérer un article qui y est vendu, qui correspond parfaitement à vos goûts et grâce auquel vous pourrez maximiser vos points. Cette tendance des entreprises à s'adresser à vous à l'improviste, mais de manière très personnalisée, que vous voyez de plus en plus sur le Web, vous rattrapera bientôt au coin de la rue. Je vous sens ravi, c'est au-delà de toutes vos attentes…

Autre chose. Avez-vous déjà entendu parler des puces RFID (Radio Frequency Identification) ? Peut-être pas encore, mais vous verrez, ça viendra.

Vous savez par contre ce qu'est un code à barres, cette série de lignes imprimées sur l'emballage ou l'étiquette d'un produit que la caissière balaie avec son lecteur optique. Ce code est unique, mais les produits identiques portent tous le même code. Ainsi, tous les pots de yaourts aux fraises de 100 ml vendus ici sous la marque Yoplait portent le même code à barres. Par contre, un pot de yaourt Yoplait à la vanille de 100 ml aura un code à barres différent. Lorsque vous passez à la caisse et que l'on scanne à la fois un yaourt à la vanille et votre carte de fidélité, on obtient une information qui précise votre profil de consommation. Ce que vous faites ensuite de ce yaourt, par contre, vous appartient. Personne n'en saura rien.

Pour l'instant. Parce que – surprise ! – ce ne sera bientôt plus le cas.

Les codes à barres des produits sont appelés à être remplacés progressivement par des puces miniatures RFID. Contrairement aux codes à barres, qui sont inertes, ces puces émettent une fréquence permettant à un récepteur de savoir où se trouvent les produits qui les portent.

Ces petits émetteurs ont d'abord été utilisés pour mieux contrôler les stocks, notamment pour retrouver les palettes d'articles égarées dans les entrepôts. Leur coût de production diminuant, elles seront de plus en plus insérées dans les articles eux-mêmes. Ces puces accélèrent la sortie aux caisses, puisqu'il n'est plus nécessaire de manipuler et de scanner chaque article. Imaginez un instant: il suffit que vous passiez devant la caisse pour que la facture de tout votre panier soit calculée en une fraction de seconde!

Une société américaine du nom de RadarCorp a même eu l'idée d'insérer des puces dans des balles de golf, pour permettre à un golfeur de retrouver une balle qui lui appartient à une distance pouvant aller jusqu'à 30 mètres.

Les puces RFID peuvent contenir une foule d'informations, telles que la nature de l'article (un pantalon, par exemple), le magasin où il a été vendu et la date d'achat. On peut aussi y inscrire des renseignements comme – pourquoi pas? –, votre nom, si vous avez payé avec une carte de crédit et si vous avez présenté une carte de fidélité. Autrement dit, l'article avec lequel vous partez peut continuer à diffuser de l'information, captable à distance, y compris celle qu'on aura ajoutée à la caisse.

Vous devinez la suite. Un capteur de fréquences RFID pourrait non seulement «reconnaître» un pantalon, mais aussi la personne qui le porte. Et si un tel capteur était installé dans votre ordinateur, votre téléviseur ou encore dans un panneau d'affichage du métro, vous pourriez tout à coup recevoir ce message: «Jacques Nantel, vous portez encore le pantalon que vous avez acheté chez Simons il y a deux ans. Il est temps de refaire votre garde-robe. Nous en avons un qui est parfait pour vous, du même style et du même bleu. Nous l'avons même dans des tailles plus grandes. Si vous passez nous voir d'ici une semaine, vous pourrez doubler vos points Air Machin.» Ou encore, dans un magasin: «Cher Monsieur Nantel, vous portez un pantalon de marque Nautica couleur bleue 2017. Nous avons pour vous la chemise qui se marie parfaitement avec ce pantalon. Elle est au rayon 12, rangée B, juste sous le clignotant qui vient de s'allumer.»

Je vous sens de plus en plus ravi.

Ne vous l'ai-je pas dit au début du livre ? Pour nous, spécialistes du marketing, vous êtes bien plus qu'un simple numéro. Vous avez une immense valeur à nos yeux. Nous voulons votre bien. Et, croyez-moi, nous ferons tout pour l'obtenir. Bientôt, nous n'en serons plus au banal « *Hello Mr. Yakamoto, welcome back to the Gap* » du chapitre précédent, mais bien à « *Hello Mr. Yakamoto,* il est temps de changer de camisole, vous portez la même depuis le début du film. »

On a vraiment trouvé comment pousser M. Yakamoto du côté qu'il va tomber.

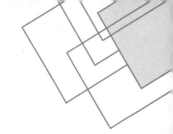

Chapitre 6

Nous sommes des illettrés financiers. Heureusement, ça se soigne.

Le 9 février 2011, le Groupe de travail sur la littératie financière (*sic*) déposait son rapport. Créé deux ans plus tôt en pleine crise financière, ce groupe, dirigé par Jacques Ménard et Donald A. Stewart, respectivement président du conseil d'administration de BMO Nesbitt Burns et chef de la direction de la Financière Sun Life, tirait la sonnette d'alarme. Il voulait nous faire réaliser que nous, Canadiens, sommes en fait des ignorants sur le plan financier, donc incapables de gérer nos finances personnelles. Le rapport soulignait notamment l'importance d'apprendre aux enfants, dès le primaire, les rouages de l'économie, de l'épargne et de la saine consommation.

Pour quelqu'un comme moi, qui ai fait son primaire chez les Sœurs Grises, la nouvelle n'était pas banale. J'ai appris à la dure, d'un côté suivi par sœur Sainte-Berthe, la sœur économe de la congrégation, pour qui acheter un simple Jos Louis était un péché, et de l'autre poursuivi par la Caisse populaire Desjardins, qui nous apprenait que ne pas déposer 10 ¢ par semaine dans notre livret d'épargne scolaire était un manque de civisme. L'appel à la responsabilisation des Canadiens lancé par le rapport m'a donc laissé pantois. Comment, en moins de 50 ans, un peuple d'épargnants avait-il pu devenir une nation d'illettrés financiers?

Mince consolation, nous ne sommes pas les seuls. Un peu partout en Occident, le mal se propage à la façon d'une épidémie. Chez nos voisins américains, The Jump$tart Coalition for Personal Financial Literacy va encore plus loin: on suggère de commencer l'éducation des futurs consommateurs-épargnants dès la garderie. L'initiative a d'ailleurs été appuyée par l'équipe de l'émission télé *Sesame Street,* qui a mis à contribution son sympathique personnage d'Elmo – plus sympathique, en tout cas, que sœur Sainte-Berthe. Dans des vidéos, Elmo montre par l'exemple que lorsqu'on épargne pour s'acheter un ballon, mieux vaut ne pas se laisser distraire de cet objectif en se payant une crème glacée[36].

Compte tenu du niveau d'endettement des Canadiens, la mise en garde servie par le groupe de travail dont j'ai parlé plus haut n'était pas du luxe. Par contre, le message avait de quoi surprendre, venant d'un comité formé en grande partie de personnalités du monde de la finance. Je suis encore interloqué devant cette réflexion contenue dans le rapport: «Les prêts à la consommation, les prêts hypothécaires ainsi que le crédit (y compris des variantes comme les prêts sur salaire et les formules "achetez maintenant, payez plus tard"), ne devraient être approuvés qu'après une rencontre en personne entre le consommateur et le créancier, au cours de laquelle les détails de l'emprunt et le coût du crédit seraient soigneusement expliqués à l'emprunteur.»

Si vous souhaitez faire un petit exercice éclairant, je vous invite à aller sur le site de n'importe quelle grande banque canadienne, plus précisément à la section «Demande de carte de crédit en ligne». Normalement, vous devriez pouvoir remplir la demande qui vous permettra d'obtenir une nouvelle carte en moins de 30 minutes. On vous mentionne probablement que vous pouvez prendre rendez-vous pour avoir plus d'information, mais je doute que, pendant cette demi-heure, vous ayez eu «une rencontre en personne » avec quelqu'un de la banque et que « les détails de l'emprunt et le coût du crédit » vous aient été « soigneusement expliqués ».

C'est la même chose lorsque vous répondez à une offre de carte de crédit trouvée dans votre boîte aux lettres – sans que vous ayez fait quoi que ce soit pour l'obtenir.

La question qui se pose alors est la suivante : sommes-nous réellement devenus bêtes à ce point et inaptes à comprendre le b.a.-ba en matière de finances personnelles, ou vivons-nous dans un environnement de plus en en plus complexe qui nous pousse à prendre de plus en plus de risques ? La réponse est un mélange des deux, mais pour nous y retrouver, revenons à la base. Un budget personnel ou familial, par exemple. Ça vous dit quelque chose ?

Vous avez dit budget ?

Dans *Les Canadiens et leur argent* – c'est le titre du rapport dont j'ai parlé plus haut –, une statistique, plus que les autres, a retenu mon attention. Près de la moitié des Canadiens, 49 % pour être précis, ne font pas de budget ! Parmi ceux-ci, ce sont les plus jeunes, les 18-24 ans, qui utilisent le moins cet outil de planification financière (ils ne sont que 35 % à le faire).

Au-delà du chiffre, ce sont les conséquences qui devraient nous frapper. Ne pas faire de budget nous rend plus vulnérables dans toutes sortes de situations. Cela peut nous empêcher de comprendre ce qu'il en coûte d'acquitter le solde de notre carte de crédit en retard, ou de faire des achats inutiles dans le seul but de doubler les points de notre programme de fidélité. Ne pas faire de budget peut même nous donner l'impression qu'on n'a pas d'argent à consacrer à l'épargne.

Et ces conséquences, on les voit tous les jours. Une récente étude de Statistique Canada[37] montre qu'il existe un fort lien entre la propension des consommateurs et des ménages à faire un budget et leur capacité à bien se tirer d'affaire sur le plan financier, notamment au chapitre de la gestion du crédit et des dettes.

Pourtant, faire un budget n'est pas sorcier. Il n'y a en fait que trois étapes : prévoir ses revenus, prévoir ses dépenses et contrôler ses dépenses. C'est tellement simple que l'on se demande où est le problème.

De nombreuses recherches montrent que la capacité de maintenir une saine gestion budgétaire s'érode à la troisième étape, le contrôle des dépenses. Et la principale raison n'est ni le manque de connaissances en arithmétique ni le manque d'outils permettant de suivre un budget, mais plutôt un phénomène bien contemporain : le manque de temps[38]. Et, chez les 18-35 ans, ce phénomène est non seulement plus présent que dans les autres groupes d'âge, mais aussi davantage aujourd'hui qu'il y a 15 ans[39].

En fait, le temps disponible pour des activités personnelles (comme faire des courses) ou de loisirs a constamment diminué depuis 30 ans. Le nombre d'heures travaillées par les Canadiens est resté sensiblement le même, mais, contrairement à ce que l'on voyait auparavant, la majorité des ménages sont composés de deux conjoints qui ont un emploi. Chacun ne travaille pas vraiment plus d'heures en moyenne qu'il ne l'aurait fait il y a 30 ans, mais le ménage, lui, a moins de temps pour l'organisation du quotidien. Y compris pour gérer un budget.

Il existe donc deux modes de gestion des finances personnelles ou du ménage. Le premier, classique, se fonde sur l'utilisation d'un budget. Le second, de plus en plus courant aujourd'hui, se fonde sur les flux de trésorerie : on dépense et on consomme tant qu'on a de la marge pour le faire. Tant que l'huissier n'est pas devant la porte, on présume que tout va bien.

Cette approche est plus présente chez les 35 ans et moins, justement à cause du manque de temps. Le problème ne vient pas seulement du fait qu'ils ont une plus faible tendance à faire un budget, mais aussi de ce qu'ils ont moins tendance à le suivre s'ils en font un. C'est ce qui ressort clairement d'une série d'études publiées par la Fédération des ACEF du Québec (FACEF)[40]. On y apprend que, parmi les personnes qui ont participé à ces études, les jeunes de 18 à 24 ans font leur budget par écrit beaucoup moins souvent (24 %) que les autres (40 %). Par conséquent, ils en respectent moins souvent les limites. Seuls 19 % s'y astreignent, soit presque deux fois moins que la moyenne des répondants (36 %). Toujours selon la FACEF, les jeunes ont tendance à inclure les revenus irréguliers dans leur budget. Ils consomment sans trop calculer, convaincus que quelque chose se produira qui permettra d'éponger les dettes éventuelles : un deuxième emploi, des heures supplémentaires, une promotion, un héritage (qui sait!) ou, à la limite, l'utilisation d'une marge de crédit.

C'est ainsi que les fleurs du marketing contemporain réussissent si bien à pousser. « Achetez maintenant et ne payez rien avant 24 mois. » Qui peut lever le nez sur une offre pareille ? Qui ne souhaite pas « ne rien payer » ? Le terreau est fertile.

Le truc, pour les marchands, est d'exiger des paiements si modestes que tout le monde aura l'impression de pouvoir les faire. Les intérêts ? Pas grave, on verra plus tard !

Le secteur automobile est passé maître en la matière. Juste avant la crise de 2008, on ne voyait littéralement plus de publicité annonçant le prix des voitures. Tous les fabricants proposaient des paiements mensuels, et certains, de plus en plus en plus nombreux, des paiements hebdomadaires. Pourquoi ? Parce qu'il est plus simple d'inciter à la consommation avec une approche par flux de trésorerie qu'avec une approche budgétaire. Je suis d'ailleurs prêt à parier que d'ici peu (si ce n'est déjà fait), vous verrez des voitures offertes à 10 $ par jour, et que ce sera présenté comme une aubaine extraordinaire : à peine le prix de trois billets de métro. Si vous êtes deux, vous économisez ! Jusqu'au premier plein d'essence, il va sans dire.

L'offre la plus spectaculaire que j'aie vue à cet égard est celle d'un marchand de spas – vous savez, ces grandes baignoires à remous dans lesquelles vous pouvez inviter vos amis. Comme certains ensembles se vendent plus de 10 000 $ (pardon, 9 999 $), n'afficher que le prix total pourrait éveiller le trésorier qui sommeille en vous. Alors on les propose pour la modeste somme de 89 $ par mois durant… 180 mois.

La première fois que j'ai vu cette annonce, je me suis carrément étouffé. Cent quatre-vingts mois, c'est 15 ans ! Je regardais les deux jeunes couples de la publicité qui buvaient du champagne bien au chaud dans le spa. Ils avaient quoi, 30-35 ans ? Je les imaginais 15 ans plus tard, à 45-50 ans, un peu plus plissés, la baignoire ayant fait son œuvre. Au bout de ces 180 mois, le spa et son pavillon leur avaient finalement coûté, avec les intérêts, plus de 50 % plus cher que s'ils les avaient payés sur livraison.

Drôlement endettés, et une bien drôle de dette

De quelle façon les ménages se sont-ils endettés au cours des dernières années? Et surtout, quels ménages se sont endettés le plus? Une étude de la Banque du Canada[41] est très révélatrice à cet égard. De toutes les formes de dettes (hypothèque, cartes de crédit, marge de crédit ou emprunt personnel), c'est la dette de consommation – et plus particulièrement celle qui est alimentée par une marge de crédit garantie par l'avoir propre foncier (votre maison, quoi…) – qui s'est le plus alourdie.

Durant la période analysée dans l'étude (1999-2005), la dette moyenne des ménages a augmenté de 33 % au total, en dollars constants. Et, contrairement à la croyance populaire, ce n'est pas l'hypothèque qui s'est le plus accrue. L'hypothèque représente toujours la plus grande part de l'endettement des ménages, mais elle n'a augmenté que de 29 %. Et la dette due aux cartes de crédit, elle, a connu une croissance semblable à la dette globale, soit 33 %.

La championne toutes catégories est plutôt la dette contractée grâce à une marge de crédit garantie par l'avoir propre foncier, qui a bondi de 122 %.

De plus, c'est la dette des plus jeunes ménages qui a le plus grimpé. Et celle des 30-35 ans a augmenté deux fois plus rapidement (+443 %) que celle des 35-45 ans (+213 %)[42].

Or, comme ce genre de dette constitue une créance adossée à la valeur d'une maison, elle-même souvent hypothéquée, on voit à quel point la situation des jeunes ménages s'est corsée. En utilisant leur marge de crédit, ils grugent constamment l'actif qu'ils viennent de commencer à se constituer.

Que tirer de toutes ces données? Le principal constat n'est pas nouveau, nous l'avons fait dès le début du livre. Les consommateurs s'endettent de plus en plus. Ce qui est particulier, c'est la façon dont la structure de cette dette tend à changer.

Il est clair que le crédit à la consommation est devenu, au cours des deux dernières décennies, plus accessible que jamais. La popularité toujours plus grande des prêts sur marge ainsi que les bas taux d'intérêt expliquent en bonne partie les chiffres que nous venons de voir. Toutefois, ces chiffres cachent une autre réalité. Celle d'une tendance accrue, en particulier chez les plus jeunes ménages, à utiliser rapidement leurs actifs (la plus-value de leur maison) pour faire des achats courants. C'est là le constat le plus troublant. Ces jeunes ménages se créent ainsi une bien drôle de dette hypothécaire, très différente de celle que l'on qualifiait traditionnellement de «bonne dette». Une dette qui fait que l'on accumule moins d'actifs, et que l'on épargne moins. Une dette qui carbure à la consommation instantanée. Et cette tendance n'est pas conjoncturelle, mais le résultat d'une consommation que l'on semble ne plus vouloir différer.

«ENCORE DES ANNONCES DE BOUFFE POUR LES CHATS?
AVOUE! TU T'ES ENCORE SERVI DE MON ORDI!»

« Est-ce que le *Cookie Monster* veut des biscuits, ou est-ce qu'il en a besoin ? » demande le journaliste du *New York Times* à Elmo, le personnage de l'émission *Sesame Street*[43]. « Il en veut, répond Elmo. Mais, ajoute-t-il aussitôt, si vous lui posez la question, il vous dira qu'il en a besoin ! » Elmo n'a que trois ans et demi, mais il voit plus clair que bien des adultes. Quand l'envie de rénover la cuisine est perçue comme un besoin essentiel, les travaux ne peuvent pas attendre. Et tant pis si l'on n'a pas encore l'argent pour les faire.

Comment en sommes-nous arrivés là ? Les spécialistes du marketing ont découvert au fil des ans les ressorts qui déclenchent la consommation instantanée. On y jette un coup d'œil ?

Ça se passe entre les deux oreilles

HEC Montréal est une institution remarquable. J'y suis depuis plus de 30 ans et j'aime la culture de la boîte. Des économistes de grande réputation y côtoient d'éminents sociologues, des psychologues de la consommation et du travail ainsi que de très grands fiscalistes. Les journées sont rarement ennuyantes. Et les discussions, dès qu'on leur en donne la chance, deviennent animées, pour ne pas dire musclées.

C'est dans ce contexte que j'ai un jour fait part à des collègues économistes de mes préoccupations face à l'endettement croissant des ménages. C'était en 2006, deux ans avant la récession et l'effondrement des marchés. Pourtant, il me semblait déjà évident qu'avec cet accroissement de la dette, notamment de la dette de consommation, nous allions droit dans un mur.

La réaction de mes collègues m'a étonné (entre vous et moi, ce n'était pas la première fois, ni la dernière). M'assurant que mes calculs étaient exacts, ils m'ont fait les commentaires d'usage. L'endettement des ménages est un problème mineur. Nous avons déjà vu pire. Cet endettement est une bonne chose, puisqu'il contribue à la croissance de l'économie. Et, enfin, pourquoi un professeur de marketing, dont le métier est de pousser les consommateurs à acheter, devrait-il se préoccuper de cette question ?

En d'autres mots, l'endettement des ménages ne relevait pas du domaine sérieux de l'économie. Pour ces collègues, que j'estime beaucoup malgré leur propension occasionnelle à un certain cynisme, le problème, si problème il y avait, était fort probablement « entre les deux oreilles ». Les miennes ou celles des consommateurs, ils ne l'ont pas précisé. Je devais donc soumettre la question à d'autres collègues, de la famille des psychologues.

Un très grand nombre de spécialistes du marketing ont, comme moi, une formation en psychologie. Ils savent comment les consommateurs planifient leurs achats – lorsqu'ils le font. Ils connaissent les conséquences de cette planification et savent comment la modifier à leur avantage.

Par exemple, on sait depuis longtemps que les gens, qu'ils fassent ou non un budget, et qu'ils le suivent ou non, font toujours une comptabilité sommaire de leurs dépenses et de leurs revenus. Cette comptabilité prend la forme de ce que l'on appelle des « comptes mentaux ». Chaque dépense tombe grosso modo dans une catégorie (un compte), permettant ainsi aux gens de savoir de manière globale où ils se situent dans leur « budget[44] ».

Bien entendu, une personne qui fait et suit son budget aura plus de facilité à faire correspondre ses comptes mentaux à la réalité de ses finances. Pour les autres, je vous l'ai dit, ça se passe entre les deux oreilles. Ils deviennent donc, pour les spécialistes du marketing, manipulables[45].

Il y a bien des façons pour les consommateurs de rendre leurs comptes mentaux malléables, et pour les commerçants d'en tirer avantage. La plus connue, qui est encore la plus enseignée dans les cours de stratégies de prix, est le fameux 99,99 $. Toute une aubaine par rapport à 100 $! Sceptique? Pourtant, ça marche. Non pas parce que les gens sont dupes ou naïfs. Simplement parce que, dans une « comptabilité mentale », un article à 99,99 $ ne tombe pas dans la catégorie des centaines. Il est donc perçu comme étant plus proche de 90 $ que de 100 $.

Si vous cherchez des vêtements ou des meubles et que vous achetez quatre articles ou plus, vous risquez de perdre encore plus facilement le compte. Si vous avez déjà eu l'impression que la caissière vous avait facturé un article de trop, vous savez de quoi je parle. Lorsque vous avez l'impression que chacun de vos quatre articles coûte seulement 90 $, vous vous attendez à ce que le total soit inférieur à 400 $. Eh non! Quatre articles à 100 $, « ça monte, avec les taxes » à plus de 450 $!

Un deuxième exemple, qui nous rapproche du commerce électronique et des programmes de fidélité, est le non moins fameux «achetez-en deux et doublez vos points» – ou pourrait aussi citer le «achetez-en deux et la livraison est gratuite». De telles offres peuvent, en soi, être tout à fait valables et avantageuses. Toutefois, elles ne le seront que si les acheteurs ont réellement besoin du second produit. En d'autres mots, s'ils l'avaient acheté même sans cette offre.

Mais, si dans leur comptabilité mentale, ces consommateurs n'avaient pas prévu faire l'acquisition du second produit, il y a peut-être un problème. Comment le savoir? Devant de telles offres, il faut se demander si la seule chose qui nous a incité à acheter le deuxième article vient du fait que le marchand nous y a fait penser, et si, autrement, nous n'aurions acheté que le premier. Si c'est le cas, alors quelque chose commence à se brouiller dans notre gestion des comptes mentaux.

Que se passe-t-il au juste? La plupart des recherches sur la gestion des comptes mentaux montrent que, si les consommateurs perçoivent un produit ou un service comme appartenant à au moins deux catégories budgétaires, ils seront plus enclins à l'acheter. Un exemple? On vous propose un forfait tout inclus pour Cuba. Vous vous dites peut-être que vous n'avez pas les moyens, en ce moment, de prendre des vacances dans le Sud. Mais si l'on vous fait valoir que, durant ce séjour d'une semaine, comme vous n'aurez pas à faire l'épicerie ni à prendre votre voiture, et que vous ne dépenserez ni au resto ni au cinéma, le coût réel du voyage n'est pas de 2 300 $ mais seulement de 1 500 $? Si un tel argument vous convainc, vous avez effectivement un problème à gérer vos comptes mentaux.

La plupart des gens ne tombent pas dans le panneau. Cependant, la recherche montre que la très grande majorité d'entre eux ont tendance à surestimer les économies réelles qu'ils pourraient faire grâce à une telle offre[46].

Ce phénomène s'explique en grande partie par une tendance naturelle que nous avons tous à vouloir déroger aux limites budgétaires (réelles ou mentales) que nous nous sommes fixées. En d'autres mots, nous sommes toujours sensibles à la tentation, exactement comme lorsque nous essayons de nous astreindre à un régime.

Le but des commerçants, des manufacturiers et des banquiers, ainsi que des spécialistes du marketing qui les entourent, est donc de faire passer un produit ou un service d'une catégorie budgétaire à une autre. Se faire venir «du St-Hubert» n'est pas une sortie au restaurant, c'est le prolongement de la commande d'épicerie. «Investir» dans une piscine n'est pas une folle dépense, ce n'est que la réallocation du bugdet de vacances (à la condition, bien sûr, de ne plus aller nulle part pour les 15 prochaines années). Changer de voiture n'est pas une folle dépense non plus, c'est le moyen d'éviter de coûteuses réparations (combien?). Dépenser 20 000 $ pour rénover sa cuisine est en fait un investissement dans sa maison, qui sera récupéré au moment de la vente (dans quelle proportion et quand?). Un prêt rénovation? Pourquoi se limiter à 30 000 $? Prenez 50 000 $, on ne sait jamais – le reste servira bien à autre chose (un voyage en Europe peut-être?).

Je crois que vous avez saisi. Si vous n'êtes pas surpris par ces exemples, ni par leur caractère racoleur mais efficace, dites-vous bien que les gens qui travaillent en marketing non plus. Nous savons que ça fonctionne. Deux ou trois catégories budgétaires se confondent, les fils se touchent et voilà! Tout se passe entre les deux oreilles.

Dans ce jeu de manipulation de la comptabilité mentale, le champion toutes catégories des interférences demeure l'achat lié. C'est le pendant, côté consommateurs, du marketing croisé des commerçants. Sur cette question, les recherches abondent[47]. Lorsqu'un consommateur se voit offrir deux produits liés (cuisinière et réfrigérateur), voire davantage (cuisinière, réfrigérateur, laveuse, sécheuse et lave-vaisselle, le tout au prix incroyable de…), sa capacité de juger de la valeur réelle de l'offre diminue de manière très sensible.

Lorsqu'une période de temps limitée est en jeu, c'est encore pire. La capacité d'évaluer le prix réel est alors à son plus bas. «En spécial cette semaine, et uniquement cette semaine, l'ensemble sofa, causeuse et fauteuil vous est offert pour la modique somme de…» Les exemples ne manquent pas et, pourtant, rien n'y fait. Les consommateurs craquent toujours pour de telles offres, peu importe qu'elles soient avantageuses ou non.

Et ce type d'offres n'ira pas en diminuant, car il s'intègre parfaitement aux stratégies de commerce électronique dont il a été question aux chapitres précédents.

Le monde virtuel comme un amplificateur du marketing

Vous êtes peut-être un peu fatigué que je vous parle d'Amazon.com. Mais ne pas utiliser cet exemple serait comme essayer de vous parler de hockey sans mentionner Wayne Gretzky. Ou de cirque contemporain sans citer le Cirque du Soleil.

Vous vous rappelez que plus de 30 % des ventes de «vous-savez-qui» sont induites par les recommandations faites aux clients. Ces recommandations viennent de deux sources. Du site lui-même, qui utilise un système afin de vous recommander des produits semblables à ceux que vous avez déjà achetés. Et le profilage collaboratif, qui permet de vous faire des recommandations basées sur ce que les gens comme vous achètent.

En 2011, plus de 20 % de toutes les ventes en ligne réalisées dans le monde ont été induites par des stratégies de marketing croisé entre marchands (ou marketing affiliatif[48]). En 2010, 27 % des nouveaux abonnements à des périodiques auxquels les gens ont souscrit en ligne venaient soit du site du périodique lui-même (9 %), soit d'offres croisées d'autres sites (18 %) appartenant au même éditeur[49].

Et cette tendance n'est pas près de s'essouffler. Les études sur le sujet indiquent que cette forme de commercialisation fait partie des stratégies de croissance les plus prisées des détaillants qui font du commerce en ligne[50].

Deux choses, en fait, s'accélèrent dans le monde virtuel. La première est la connaissance que les marchands ont des consommateurs, qui rend leurs offres toujours mieux adaptées aux besoins de ceux-ci. La seconde, encore plus intéressante, est la capacité de l'univers virtuel à combiner des mondes qui, dans la vie réelle, ne se rencontrent pas. Vos réservations pour New York sont faites sur le Web? Attendez-vous à recevoir des offres de spectacles sur Broadway. Votre agent de voyage en faisait-il autant? Était-il disponible 24 heures sur 24?

L'un des domaines offrant le plus de possibilités de ventes croisées sur Internet est celui des vêtements. Alors que plusieurs doutaient du potentiel de ce secteur il y a quelques années encore, celui-ci fait désormais partie des cinq plus importants en termes de ventes. C'est que le Web procure des avantages uniques pour ce type de produits.

Imaginez un instant la situation suivante. Vous êtes dans un centre commercial. Vous avez trouvé, dans un magasin, une jupe qui vous va à ravir, dans un autre, un chemisier qui, croyez-vous, se marierait parfaitement avec la jupe, et, enfin, dans une troisième boutique, les souliers qui compléteraient l'ensemble. Pourrez-vous obtenir du vendeur qu'il vous laisse partir avec la jupe sans la payer afin d'aller l'essayer avec le chemisier? Et convaincre le deuxième vendeur de vous laisser partir avec le chemisier (toujours sans payer) pour aller vérifier le tout avec les chaussures? Si vous avez la détermination de mon épouse, vous réussirez. Mais, si vous êtes comme la majorité des consommatrices, vous vous demandez probablement encore pourquoi vous avez acheté la jupe du premier magasin, puisque, par la suite, vous vous êtes rendu compte que ni le chemisier ni les chaussures ne vous allaient. Comme vous n'avez rien à porter avec cette jupe-qui-vous-va-à-ravir, elle se démode lentement dans votre garde-robe.

Pourtant, apparier les vêtements de divers détaillants dans une même salle d'essayage n'a rien de futuriste. La technologie développée par Mon Mannequin Virtuel[51], une entreprise québécoise créée par Louise Guay, permettait de le faire il y a déjà plus de 10 ans.

Malheureusement, les principaux marchands en ligne tardent à comprendre et à reconnaître l'intérêt des consommateurs pour cette possibilité. Leur obsession de tout contrôler sur leur site les a longtemps empêchés d'aller au bout de l'aventure. La plupart des grands détaillants qui offrent une salle d'essayage virtuelle ne permettent pas encore d'y apporter des vêtements venant d'autres boutiques.

Sauf qu'il sera de moins en moins possible d'en rester là. Les consommateurs eux-mêmes, malgré l'impact d'offres de plus en plus étudiées sur leur budget et leur niveau d'endettement, demandent et apprécient davantage l'intégration entre les sites et les offres commerciales. Les principaux acteurs en matière de commerce électronique se positionnent déjà en ce sens : Yahoo !, qui possède entre autres le site Flickr.com, Google, qui possède YouTube, le deuxième réseau social en importance, eBay.com, Amazon.com (bien entendu) et Microsoft, qui a racheté Skype en mai 2011. Autant de façons de se positionner là où les consommateurs sont à l'affût de ce qu'ils cherchent. Ou de ce dont ils ignorent encore l'existence, mais dont plusieurs voudraient les informer.

Bref, les médias sociaux vont propulser, encore plus loin, le potentiel marketing des principaux acteurs du Web. Mais ça, c'est un autre chapitre !

Chapitre 7

(Un titre bref, mais qui en dit beaucoup, en particulier sur vous.)

Samedi 2 avril 2011, 19 h. Plus de 250 amateurs de planche à roulettes, des *skaters*, sont rassemblés au Cinéma du Parc à Montréal. Ils viennent voir *Since Day One*, le nouveau film de la compagnie Real, le géant américain du *skateboard*. Un groupe cible trop restreint pour qu'on ait jugé utile de publiciser l'événement dans les journaux, mais suffisamment important pour que les entreprises actives dans le domaine du *skate* veuillent le joindre. Le film, lancé deux jours plus tôt à San Francisco, sera par la suite diffusé dans plus de 200 villes dans le monde. À Montréal, la projection a quelque chose de spécial, puisque l'un des 15 *skaters* de l'équipe de Real est un jeune Montréalais de 21 ans, Antoine Asselin. Une espèce de Maurice Richard, l'idole non pas de tout un peuple, mais d'une partie non négligeable de ses descendants. La *fan page*[52] du Dimestore Crew soutient l'événement. Avec ses quelques milliers d'«amis», sa page Facebook a réussi ce dont tout spécialiste du marketing rêve depuis des décennies : promouvoir un événement seulement grâce au bouche à oreille.

Un autre exemple ? Le mois suivant, Sony Ericsson, forte de ses 4,5 millions d'«amis», lance un concours. Le fabricant cherche les meilleurs «critiques/porte-parole» pour ses deux nouveaux téléphones[53]. Les auditions se déroulent par étape. Les candidats doivent d'abord deviner le nom des appareils, et chacun doit dire, en 50 mots ou moins, pourquoi il ferait un bon «critique». Sony Ericsson retient 12 candidats et leur envoie chacun un téléphone pour qu'ils réalisent une vidéo divertissante de 45 secondes dans laquelle ils décriront le téléphone et en feront une évaluation. Les quatre meilleures vidéos (au goût du fabricant) sont ensuite mises en ligne et soumises au vote des millions «d'amis». La façon de voter ? Un tout petit pictogramme que l'on retrouve sur la plupart des pages Facebook et sur de nombreux sites Web : 👍, le petit pouce levé qui signifie «J'aime». Nous y reviendrons. Ah oui, et le prix à gagner ? Dix téléphones Sony Ericsson pour la famille et les amis du gagnant...

Cette approche, qui consiste à demander à vos clients de faire eux-mêmes votre publicité, est ingénieuse, mais pas vraiment nouvelle. PepsiCo l'utilise depuis 2007 pour la promotion de ses croustilles Doritos. L'idée est simple et brillante à la fois. On demande aux consommateurs qui le veulent de soumettre leurs créations publicitaires, et aux autres de voter pour la meilleure. Pendant ce temps, des millions de personnes regardent attentivement des annonces qui vantent les mérites des croustilles, et ça ne coûte pratiquement pas un sou au fabricant. Tant que tout se passe sur YouTube, le coût de diffusion est nul. La principale dépense sera la diffusion des quatre meilleures publicités dans la case horaire la plus convoitée aux États-Unis, c'est-à-dire pendant la télédiffusion du Super Bowl, et ce que les heureux gagnants vont se partager (jusqu'à 5 millions de dollars). Un investissement dérisoire pour obtenir un tel engouement médiatique !

Que ce soit pour le Dimestore Crew et ses quelques milliers d'amis, ou pour Sony Ericsson, qui en compte des millions, les stratégies de commercialisation ont complètement changé depuis l'apparition du Web 2.0, qui utilise Internet pour mettre en réseau des citoyens ou des consommateurs ayant des intérêts communs. En quoi le Web 2.0 est-il différent du Web 1.0 ? Ce sont ces citoyens internautes, et non plus les entreprises, les organisations ou les gouvernements, qui décident. C'est risqué, mais beaucoup d'entreprises jugent que le jeu en vaut la chandelle.

Quand on pense que, à leurs premiers balbutiements, les réseaux électroniques n'étaient même pas destinés aux individus! Ces réseaux, que l'on appelait à l'époque l'EDI (Electronic Data Interchange, ou Échange de données informatisées), avaient en effet été créés pour permettre aux entreprises d'échanger des données. Provigo, le géant de l'alimentation d'alors au Québec, a fait figure de pionnier en exigeant que ses fournisseurs fassent partie de son réseau EDI, afin de pouvoir faire tous ses achats électroniquement. C'était ce que l'on appelle, aujourd'hui encore, une «relation B2B» (*business to business* – ou commerce électronique interentreprise).

Mais ce n'était pas encore le Web tel que nous le connaissons maintenant, le B2C (*business to consumer*), avec ses commerçants en ligne, qui est venu plus tard. Entre-temps, des sites de type P2P (*peer to peer* – poste à poste ou pair à pair), auparavant appelés «C2C» (*consumer to consumer* – consommateur à consommateur), ont vu le jour. Ces sites, contrairement à ce que l'on avait vu jusqu'alors, permettaient aux usagers de se les approprier, de les modifier, de les bonifier, bref de les faire leurs. Les premiers du genre ont été des sites de partage, notamment de musique ou de logiciels libres (Napster, Morpheus, Linux ou autres). On pouvait y prendre des contenus mis en ligne par d'autres, et y déposer les siens. Certains de ces «cadeaux», comme nous l'avons mentionné, renfermaient malheureusement des logiciels espions.

Puis, des sites encore plus ouverts sont apparus, permettant aux personnes qui s'y inscrivaient de créer leur propre univers et de le partager. Ce sont les Myspace, Second Life, YouTube, LinkedIn, Wikipedia, Twitter et, bien entendu, Facebook. Le Web 2.0 était né [54].

Vous connaissez la suite – n'ayez pas peur, je ne vous raconterai pas l'histoire du film *Le réseau social*. D'ailleurs, vous n'avez qu'à le télécharger depuis la page d'un ami. Après tout, qui le saura? Entre amis, ne sommes-nous pas seuls au monde?

Si le Web 2.0 se voulait, au départ, une réponse citoyenne au méchant Web commercial, les choses ont quelque peu changé. Facebook est devenu le plus populaire de ces sites. Avec quelque 500 millions d'utilisateurs, sa valeur était estimée, en janvier 2011, à 50 milliards de dollars[55]. LinkedIn a réalisé des profits de 15,4 millions de dollars en 2010, et l'on prévoyait que Facebook ferait un bénéfice de 2 milliards avant intérêts, impôts et amortissements en 2011, alors que l'entreprise n'était même pas encore cotée en Bourse[56]. Ces profits proviennent en majeure partie de la publicité diffusée sur ces réseaux – une publicité qui a l'avantage de se transmettre tout naturellement d'un ami à un autre.

Je ne peux pas refuser ça à un ami !

Je pourrais vous donner un cours complet sur les raisons qui transformeront les réseaux sociaux en l'un des outils de marketing les plus efficaces de ce début de siècle. Mais n'ayez crainte, je m'en tiendrai à l'essentiel. Quelques chiffres éloquents seulement.

Il s'est vendu pour 28,5 milliards de dollars de publicité en ligne aux États-Unis en 2010, dont plus de 10 % (3 milliards) dans les médias sociaux. C'est moins du quart des sommes investies dans les médias traditionnels (126,2 milliards). Sauf que les budgets de pub en ligne ont bondi de 25 % entre 2008 et 2010, alors que ceux consacrés aux médias traditionnels stagnent. Les investissements dans les médias sociaux, eux, ont connu une croissance de plus de 117 % au cours de la même période[57] ! Facebook a attiré 1,22 milliard de dollars à elle seule. L'engouement pour ce réseau est tel que les coûts de la publicité y ont grimpé de plus de 40 % dans les trois premiers mois de 2011[58]. Ce qui n'a pas empêché les clients d'en redemander. Facebook est devenu l'espace publicitaire en ligne le plus populaire, surpassant Yahoo! et Google. Les publicités affichées sur ses pages devraient lui rapporter 2,2 milliards de dollars de revenus aux États-Unis en 2011, une croissance de 81 % par rapport à l'année précédente[59].

Voilà, le cours est terminé. Un étudiant en finance à HEC dirait alors sans doute : « Oh là là ! Facebook et les médias sociaux, quel avenir prometteur ! Vivement l'inscription en Bourse que j'achète des actions ! » Mais quelque chose me dit que vous ne partagez pas cet enthousiasme.

Peut-être pensez-vous à votre propre page Facebook, ou à celles de vos enfants. Et au fait que ces espaces si personnels sont vendus aux annonceurs les plus offrants. Votre vie privée comme espace publicitaire? Eh oui. Après les hommes-sandwichs, voici les amis-sandwichs.

Dans ce qui suit, nous verrons comment fonctionne le marketing sur les réseaux sociaux. Il y a évidemment des différences techniques entre Twitter et Facebook, ou entre Facebook et Groupon, mais, pour l'essentiel, c'est la même chose. L'annonceur qui vous sollicite compte sur votre réseau pour diffuser, « de bouche à oreille », sa publicité.

Dans les médias traditionnels, les entreprises font leur publicité en fonction des intérêts et des profils sociodémographiques des auditeurs/lecteurs qui écoutent une émission ou lisent un journal. Pour déterminer dans quelle mesure on rejoint ce public cible, on a recours à des méthodes plus ou moins précises, comme des sondages et l'estimation des cotes d'écoute. Pour les annonceurs, c'est un peu comme pêcher la carpe dans un étang vaseux.

Sur le Web, c'est déjà plus clair. Grâce aux *cookies,* aux logiciels espions et aux moteurs de recherche (Google, en particulier), la publicité est liée à ce que les consommateurs cherchent, comme nous l'avons vu au chapitre 5. C'est un peu comme pêcher la truite dans un ruisseau limpide.

Sur Facebook comme sur la plupart des réseaux sociaux, la publicité que vous voyez dépend de *votre* profil, que, généralement, vous avez construit de façon franche et ouverte. Si, comme la moitié des 500 millions d'usagers, vous allez sur votre page au moins une fois par jour, et si, comme 38 % d'entre eux[60], vous mettez à jour votre statut au moins une fois par semaine et ajoutez une photo aux trois mois, vous cibler en fonction de ce qui vous intéresse et de ce que vous faites devient un jeu d'enfant.

Vous annoncez que vous vous mariez bientôt? Vous ne tarderez pas à voir apparaître sur votre page des publicités de robes, d'alliances et d'autres produits et services qui pourraient contribuer à votre bonheur. Vous informez vos amis que vous venez d'acheter votre premier condo? Des peintres se pointeront sur votre page sous peu. Annoncer sur les réseaux sociaux, c'est un peu comme pêcher un saumon dans une baignoire. Impossible de le manquer. À moins qu'il ne refuse de mordre.

Cela dit, cette approche n'est que la pointe de l'iceberg. Parce que le but n'est pas tant de vous offrir des produits et services que d'arriver à ce que vous fassiez vous-même la promotion de ces produits et services au sein de votre groupe[61]. C'est ce qu'a fait la compagnie Nike au moment de la Coupe du monde de football 2010. La plupart des amateurs qui ont reçu la vidéo publicitaire *Write the Future* se sont empressés de la partager. En un seul week-end, Nike a réussi à doubler le nombre d'adeptes de sa page Facebook, de 1,6 à 3,1 millions.

« J'AI BIEN PEUR QUE ÇA NE SOIT PAS SI SIMPLE DE QUITTER UN RÉSEAU SOCIAL, MON CHÉRI ! »

C'est là que commence véritablement le marketing de réseaux. Si la mention qu'un ami a aimé une marque de vêtements, un chanteur ou une boisson énergétique suffit à vous convaincre d'aller cliquer «J'aime» sur la page en question, l'effet devient exponentiel. Vos propres amis seront instantanément informés de votre nouveau coup de foudre, ce qui garantit une pêche miraculeuse à l'annonceur. C'est un peu comme si le saumon dont nous avons parlé tout à l'heure avait invité ses potes dans la baignoire! Un groupe de plusieurs millions d'amis a cependant besoin d'être animé. D'où l'idée des concours, par exemple[62].

Une autre étape dans l'art de faire ce type de marketing a été franchie à la fin de 2008, avec la fonction Facebook Connect, remplacée depuis par le bouton «Se connecter avec Facebook», grâce à laquelle vous pouvez utiliser votre compte Facebook pour vous connecter à des applications, à des jeux et à d'autres sites, ce qui vous permet de rester en contact avec vos amis, de publier des informations sur votre page… et de dévoiler votre profil aux entreprises qui exploitent ces sites, ces jeux et ces applications.

L'un des premiers à comprendre l'intérêt de cette possibilité a été (eh oui!) Amazon.com. Le détaillant l'utilise pour vous faire des recommandations encore plus ciblées, non plus seulement en fonction de vos achats passés ou grâce au profilage collaboratif, mais en s'inspirant aussi de votre profil Facebook et de celui de vos amis[63]. Amazon peut même vous faire des recommandations de cadeaux pour vos amis, s'il a leur profil dans ses bases de données. N'est-ce pas excitant? Qui sait, peut-être découvrirez-vous des choses étonnantes sur eux.

Quand «faire du pouce» prend tout son sens

Je suis d'une génération ou «faire du pouce» voulait dire «faire du chemin grâce à quelqu'un d'autre». On faisait du pouce sur la 20 pour aller à Québec, mais on faisait aussi du pouce en développant l'idée de quelqu'un d'autre. Dans les deux cas, l'idée est la même: on s'épargne une partie des coûts ou du travail nécessaires pour atteindre un objectif, puisque quelqu'un d'autre s'en charge. À croire que les concepteurs de Facebook, qui sont pourtant plus jeunes que moi, en étaient conscients lorsqu'ils ont choisi d'utiliser le symbole du pouce levé sur leur site. Oui, je sais, ce symbole présent dans la culture populaire depuis la Rome antique, a souvent signifié quelque chose comme «je suis d'accord». Mais, à l'évidence, dans le monde des réseaux sociaux, il se rapproche aussi beaucoup du sens qu'on lui donnait du temps où j'étais au collège.

Ce pictogramme en apparence anodin, présent sur Facebook mais aussi sur de nombreux autres sites, permet de dire «J'aime», qu'il s'agisse d'un produit, d'un service, d'un texte ou d'une publicité. Dans bien des cas, toutefois, cette déclaration d'amour n'est ni spontanée ni désintéressée. Ce qui incite les consommateurs à la faire, c'est souvent la promesse d'obtenir des bons de réduction ou d'autres «cadeaux» du genre.

Le geste aura deux conséquences. Premièrement, Facebook, comme la plupart des réseaux sociaux, enregistrera cette information. Elle lui permettra de vous suivre pendant votre navigation sur le Web et, le cas échéant, d'alerter un publicitaire en quête de clients présentant vos caractéristiques. En fait, il n'est même pas nécessaire de cliquer sur «J'aime». Le seul fait de se trouver sur une page affichant un bouton «J'aime» (ou «Tweet») suffit à informer Facebook (ou Twitter) de votre présence[64].

La seconde conséquence est plus intéressante encore. L'adhésion que vous avez signifiée en cliquant sur un bouton «J'aime» sera aussi relayée à vos amis, ce qui les informera ainsi de votre nouveau coup de cœur et les incitera, s'ils partagent vos goûts, à s'informer sur le produit, le service ou le site en question. Ce qui vous transformera en «ami-sandwich». Comme souvent sur Internet, une fois une information donnée, impossible de savoir comment elle sera utilisée. Seule certitude, votre beau geste aidera l'entreprise «aimée» à vous solliciter, vous et vos amis.

Le spécialiste du marketing que je suis peut vous assurer que cette approche est efficace. Dans une étude récente[65], 87 % des consommatrices interviewées ont affirmé recevoir et apprécier les offres des entreprises auxquelles elles ont déclaré «J'aime», et 45 % avaient la même opinion des offres reçues par l'entremise de leurs amis. Ces chiffres confirment ce que l'on sait depuis longtemps en marketing: les meilleurs porte-parole d'une marque sont les clients eux-mêmes, ou leurs proches.

C'est d'ailleurs ce qui explique le succès des sites d'achats groupés comme Groupon ou LivingSocial, qui vendent des bons donnant accès, à des prix d'aubaine, à des produits ou à des services à partager avec des amis (souper gastronomique, soins dans un spa, etc.). Pas étonnant que Facebook se soit lancé à son tour dans la mêlée avec son service appelé Deals. Et que Google, après avoir essayé, sans succès, d'acheter Groupon, ait créé Google Offers. Cette incursion dans le monde des transactions commerciales annonce la prochaine étape.

Les développements dont je viens de vous parler sont toutefois encore trop périphériques aux yeux des Google, Facebook et Twitter de ce monde. Même si Facebook a enregistré plus de 1,2 milliard de dollars de revenus publicitaires en 2010, ce chiffre ne donne qu'une idée bien partielle de la valeur économique réelle que peuvent avoir les réseaux sociaux. Ce qui intéresse ces géants, c'est d'obtenir une commission sur les transactions qu'ils favorisent, comme le font les sociétés de cartes de crédit et les services de paiement en ligne (dont PayPal, propriété d'eBay).

C'est pourquoi Facebook a lancé, en 2011, ses « crédits », une devise virtuelle que l'on peut se procurer sous forme de chèques-cadeaux dans certains magasins, gagner en participant à des jeux, ou obtenir en s'inscrivant sur des sites gérés par Facebook, comme Big Prize Giveaways. Cette « monnaie » a d'abord eu des applications limitées – elle était par exemple échangeable contre du temps pour jouer aux jeux de Zynga –, mais l'objectif est de permettre d'acheter de véritables produits et services, en commençant bien sûr par les Deals de Facebook.

Google Wallet, qui permet de payer des achats grâce à un téléphone portable, s'inscrit dans une logique similaire. Au moment de son lancement, en mai 2011, les gens de Google ont expliqué qu'aucune commission ne serait facturée sur les achats ainsi payés, parce que ce qui les intéresse d'abord, ce sont les données relatives à ces transactions. Il est certain que ces informations ont une grande valeur pour Google, d'autant que les clients, en plus de payer leurs achats, présenteront des cartes de fidélité et utiliseront des bons de réduction enregistrés dans leur portable. Toutes ces données aideront Google à vendre de la publicité encore plus ciblée et attrayante aux entreprises. Cela dit, il ne serait pas étonnant que Google change un jour d'idée et décide, comme tout bon intermédiaire, de prélever sa quote-part.

En s'imposant ainsi comme des intermédiaires qui facilitent des transactions, les géants du Web font du pouce sur une idée en pleine évolution.

Non seulement ils tirent des revenus de la vente de publicité, mais ils pourraient aussi prendre une commission sur les ventes réalisées, s'ils deviennent des intermédiaires au sens traditionnel du terme.

Quand nos amis ne veulent plus être nos amis

Quand je pense à tout le potentiel des réseaux sociaux, j'ai l'impression que nous, gens de marketing, avons enfin trouvé notre pierre philosophale. Celle qui permet de transformer des métaux vils en or, en incitant les consommateurs à faire le travail de vente à notre place auprès de leurs amis, sans grand effort ou dépense de notre part. Cette pierre philosophale a cependant un prix. Les entreprises doivent faire le deuil du contrôle total de leur stratégie de marketing et de leurs marques. Plusieurs l'ont appris à la dure : laisser parler les consommateurs comporte une part de risques.

C'est ainsi que *Boycott BP,* la page Facebook des détracteurs de British Petroleum, comptait en juillet 2011 plus de 800 000 adeptes, alors que la page officielle de la pétrolière – responsable du déversement massif de pétrole dans le golfe du Mexique en avril 2010 – en comptait 10 fois moins.

Et, si vous ne l'avez pas encore fait, allez voir la vidéo du musicien canadien Dave Carroll, sur YouTube, dans laquelle il dénonce le transporteur United Airlines, dont les bagagistes avaient brisé sa guitare. Le clip a été vu plus de 150 000 fois en une seule journée dès sa mise en ligne, et le chiffre a grimpé à 5 millions un mois plus tard[66]. United Airlines a fini par réagir, en faisant quelques gestes pour se faire pardonner, mais le mal était fait. Ce clip viral a sali la réputation de la compagnie aérienne, et pour longtemps : il a été visionné plus de 10 millions de fois, et il continue de l'être.

Tout ce qui se dit sur les réseaux sociaux n'a évidemment pas les mêmes répercussions. Une incursion de Céline Dion aura évidemment plus de poids qu'une intervention de ma voisine (au cas où elle me lirait, je tiens à lui signaler que je ne parle pas d'elle ici, mais de mon autre voisine). C'est pour cette raison que l'on fait de plus en plus de recherches sur le profil d'influence de certains membres de réseaux sociaux, que l'on appelle «connecteurs». Ces individus, qui ne sont pas nécessairement les plus connus ni les plus populaires, ont un effet accélérateur sur la diffusion d'une nouvelle. Un connecteur crée, uniquement par son dynamisme, ce que Malcolm Gladwell appelle, dans son excellent livre sur le sujet, un « point de bascule » (*tipping point*, en anglais[67]). Un point à partir duquel une tendance émergente s'accélère, jusqu'à prendre l'ampleur d'une véritable épidémie.

Contrairement à ce que l'on vous a inculqué à la maternelle, les amis ne sont pas tous pareils ni égaux. Certains ont nettement plus d'influence sur les réseaux sociaux. L'information qu'ils y partagent fait beaucoup plus de chemin, et beaucoup plus rapidement, que si elle était relayée par d'autres.

L'un des enjeux du marketing est désormais d'établir qui sont ces connecteurs[68], parce qu'ils peuvent aider un message publicitaire à se répandre rapidement, et dans le sens voulu par l'annonceur[69].

Et ensuite ? Ben voyons, le Web 3.0

Si les innovations vous passionnent, vous pensez peut-être que mon propos sera bientôt dépassé, ou qu'il l'est déjà, étant donné les progrès rapides de la technologie.

Rassurez-vous, vous n'avez pas perdu votre temps en ma compagnie. Après plus de trois décennies à travailler en marketing, je peux vous le garantir : plus ça change, plus c'est pareil. Les technologies passent, les stratégies de marketing demeurent. Après les Web 1.0 et 2.0, le Web 3.0 offrira encore plus de possibilités à ceux qui sont prêts à tout afin de vous faire acheter toujours plus.

Ce Web-là, déjà en émergence, est dominé par le sens des choses. Il ne fournira pas seulement une succession d'informations, mais aussi des liens logiques entre elles. On s'assurera de donner un sens à chaque information de manière à en faire un tout cohérent.

Pas clair ? Allons-y d'un petit exemple. En juin 2011, Facebook (eh oui, encore !) s'est doté d'une fonction de reconnaissance faciale, grâce à laquelle on peut obtenir l'identité d'une personne à partir d'une photo de son visage. Cette fonction vise à faciliter l'étiquetage des photos que vous téléchargez sur votre page et ne permet d'identifier que les personnes qui sont vos amis, a indiqué la direction de Facebook. Mais le potentiel de cette technologie est tellement plus vaste !

Vous avez pris la photo d'une belle inconnue que vous avez remarquée dans une soirée? Facebook pourrait la retrouver pour vous. Le réseau social héberge des milliards d'images, dont la plupart sont étiquetées. Et si l'on en croit l'entreprise, plus de 100 millions de photos s'y ajoutent chaque jour. L'une d'entre elles pourrait bien correspondre à l'inconnue que vous cherchez. Et, si elle a une page Facebook, vous pourrez en savoir un peu plus à son sujet.

La même chose existe en musique avec l'application mobile Shazam, grâce à laquelle on peut obtenir sur-le-champ le titre d'une chanson ou d'une pièce de musique que l'on entend. D'ici peu, il sera possible de faire la même chose pour la voix humaine. On pourra, en soumettant par exemple un extrait d'une conversation où l'on entend parler une personne, déterminer à qui appartient la voix.

Voilà que le cyberespace vous aide à associer de l'information – et peut-être même à donner une histoire – à un élément neutre, comme une photo ou un extrait sonore. Enfin, cet élément est peut-être neutre pour vous, mais, croyez-en mon expérience, il ne le restera pas longtemps pour les gens qui travaillent en marketing. Cette avancée technologique nous fournira, comme les précédentes, de nouvelles occasions à saisir. J'imagine déjà la possibilité d'enregistrer l'image de votre visage quand vous entrez dans un magasin. En moins de deux, je saurai qui vous êtes et ce que vous aimez. Par ici les offres alléchantes! De la science-fiction, dites-vous? Je prends les paris.

Un autre exemple de ce que le Web 3.0 offrira comme possibilité? Vous avez peut-être entendu parler du nouveau système de reconnaissance des plaques d'immatriculation de la police de Montréal[70]. Des caméras installées sur des véhicules de patrouille permettent de repérer les plaques des conducteurs dont le dossier comporte des irrégularités: permis de conduire suspendu ou impayé, droits d'immatriculation en souffrance, etc. Ce système a tout de suite fait vibrer la corde sensible qui relie mon instinct de spécialiste du marketing à mon portefeuille.

Vous me direz: reconnaître une plaque d'immatriculation, ce n'est pas comme lire l'iris des yeux de M. Yakamoto, ou obtenir, sur Facebook, l'identité d'une personne à partir de sa photo. Pouvoir donner des contraventions plus facilement présente certes un certain intérêt pour la police, mais, d'un point de vue commercial, c'est plutôt limité. Peut-être, mais pour des gens comme moi, c'est quand même très attirant. Si les yeux, pour le poète, sont les fenêtres de l'âme, la plaque d'immatriculation, pour quelqu'un qui travaille en marketing, est une fenêtre ouverte sur votre vie. Du moins, sur une partie de votre vie de consommateur.

À partir d'un numéro de plaque, je peux avoir le code postal du propriétaire du véhicule. Ou presque. Comme cette information est confidentielle, je ne peux pas l'obtenir de manière parfaitement croisée (plaque = code postal). Par contre, si j'ai des milliers de numéros de plaques, je peux avoir les milliers de codes postaux qui vont avec : un chercheur comme moi n'a qu'à soumettre un certain nombre de numéros de plaques à la Société de l'assurance automobile du Québec (SAAQ), qui les traitera et me fournira un fichier contenant les codes postaux correspondants. Une information très utile, même si je ne sais pas quel code va avec quelle plaque.

C'est de cette façon que l'on dresse, depuis des années, le profil des consommateurs qui fréquentent un centre commercial. On prend les numéros de plaques d'un échantillon des voitures garées dans le stationnement. L'information toute simple que l'on obtient ainsi nous renseigne sur la provenance des clients et, donc, sur leur profil de consommation (souvenez-vous de ce que je vous ai dit sur les codes postaux). On l'utilise souvent, par exemple, pour estimer les ventes d'un centre commercial concurrent. Maintenant que cette technologie est disponible pour la police, on ne tardera pas à l'employer pour mieux vous connaître.

Là encore, le potentiel est immense. La multinationale Unilever, par exemple, s'est servie de la reconnaissance faciale pour créer une distributrice de crème glacée activée par le sourire. L'appareil, qui a été testé pour la première fois dans un festival de musique rock au Portugal, comporte un écran sur lequel on invite les passants à faire leur plus beau sourire. On prend une photo qui, avec l'autorisation de la personne, est placée sur Facebook. Et la récompense arrive : une crème glacée[71]. Plutôt inoffensif comme innovation me direz-vous. Soit.

La firme new-yorkaise Immersive Labs par contre a poussé l'expérience beaucoup plus loin. En intégrant des fonctions de reconnaissance faciale à des panneaux d'affichage, elle arrive à déterminer l'âge et le sexe des passants qui les regardent, ce qui lui permet d'ajuster ses publicités en conséquence. Les hommes verront par exemple une pub de bière, et les femmes une annonce de lingerie[72].

Vos ordinateurs, téléphones mobiles et tablettes numériques sont déjà équipés d'appareils photo et de caméras. L'ajout de fonctions de reconnaissance faciale vous donnera plein de nouvelles occasions de les utiliser. À nous aussi, d'ailleurs! Associer des données précises, en temps réel, à des faits et gestes en apparence banals, voilà la promesse de l'univers 3.0.

C'est aussi notre promesse de spécialistes du marketing. Après avoir envahi votre ligne téléphonique, votre boîte aux lettres et votre boîte de courriel, et nous être imposés à l'écran de votre ordinateur et de votre cellulaire, nous n'avons eu aucun scrupule à nous immiscer dans votre vie sociale sur Facebook, votre réseautage sur LinkedIn ou vos conversations sur Twitter. Où serons-nous demain? À ce point-ci du livre, vous avez sûrement des idées sur la question. J'ai presque envie de vous donner mon adresse courriel pour que vous m'en fassiez part. Après tout, vos idées pourraient valoir quelque chose…

Je crois que vous avez compris, après sept chapitres, que le monde dans lequel nous vivons, et en particulier l'univers virtuel, ne fait pas de cadeaux. On vous offre un tas de trucs gratuits (jeu, chanson, application, espace de socialisation, rabais, etc.), mais tous ces trucs ont un prix.

Si vous commencez à voir en quoi ces approches de marketing peuvent inciter certains consommateurs à dépenser sans compter – et, donc, contribuer à ce qu'ils s'endettent toujours davantage –, alors bravo. Le prof en moi est ravi de voir que vous suivez attentivement.

Le professionnel du marketing, lui, devrait s'inquiéter d'avoir attisé votre esprit critique. Et s'en mordre les doigts. Mais, ne vous en faites pas pour moi ou pour mes collègues. Nos stratégies ont fait leurs preuves. Nous trouverons toujours de nouvelles façons de les mettre en œuvre. Que ce soit avec votre code postal, votre compte Facebook, votre cellulaire, un système de reconnaissance faciale ou tout autre moyen, nous serons là pour tenter de vous séduire. Et, si nous faisons bien notre travail, vous nous laisserez entrer dans votre vie, ne serait-ce que par curiosité. Depuis le temps, je commence à vous connaître.

Chapitre 8

Professionnels du marketing, ce chapitre est pour vous !

Au cours des sept premiers chapitres de ce livre, je vous ai parlé d'économie, de crise financière, d'endettement, ainsi que de nouvelles technologies et des diverses façons dont on les utilise pour mieux suivre, voire épier, les consommateurs, afin de les inciter à dépenser davantage. J'ai écrit ces chapitres un peu comme si je m'adressais à des amis, à des parents, à des citoyens fatigués d'être de moins en moins considérés, justement, comme des citoyens, et de plus en plus uniquement comme des consommateurs.

Je soupçonne toutefois un ou deux professionnels du marketing de s'être glissés dans le lot. Je les imagine déjà en train de se demander en quoi cette lecture pourrait les aider à raffiner leur prochaine stratégie. Eh bien, chers collègues, ce chapitre est pour vous.

Je vous préviens, nous ne parlerons pas seulement des prochaines tendances, mais aussi de leurs répercussions sur notre industrie. Quant à vous, «non-professionnels» du marketing, mais néanmoins professionnels de la consommation, en fonction de qui nous concevons nos stratégies et qui nous faites vivre, je vous en prie, restez! Non seulement vous avez payé pour ce chapitre, tout comme les gens qui travaillent en marketing ont payé pour les sept premiers (du moins, je l'espère), mais il a de bonnes chances de vous éclairer sur ce qui touchera vos vies dans les années à venir.

Chaque consommateur compte

J'en ai parlé dès le début de ce livre: le principal objectif du marketing n'est plus, depuis longtemps, d'aider les entreprises à tenter de rejoindre tout le monde avec un seul et même produit. Ce n'est même plus de les aider à maximiser leur part de marché, ou leur part d'un segment de marché. Non. Désormais, l'enjeu, pour une entreprise, consiste à maximiser la part qui lui reviendra des dépenses que chaque consommateur fera pour un produit. Cet enjeu part du principe qu'avec le profil sociodémographique d'un client (son âge, son sexe, son revenu, l'endroit où il habite... vous connaissez la chanson), il est possible d'estimer la consommation d'un individu pour un produit donné.

Prenons la lessive comme exemple. Au Canada, un ménage de quatre personnes consomme en moyenne environ 10 $ de lessive par mois. Si vous connaissez le profil sociodémographique de vos clients, vous savez combien ceux-ci consomment de ce produit en moyenne. Et si, en plus, vous savez combien ils achètent de *votre* marque, vous pouvez déduire la part de leurs dépenses de lessive que vous détenez: 10 % (1 $ par mois), 20 % (2 $ par mois), 60 % (6 $ par mois) ou 100 % (10 $ par mois). Vous saurez ainsi s'il vaut la peine de faire des efforts pour leur en vendre davantage.

Vous trouvez l'exemple tiré par les cheveux? Pourtant, on le retrouve dans *The One to One Future,* l'un des livres les plus révolutionnaires qui ait été écrit sur les nouvelles tendances en marketing[73], et publié il y a déjà plus de 15 ans.

Les auteurs y évoquent une étude faite aux États-Unis par la société Procter & Gamble. L'entreprise avait imprimé un code différent au fond de chaque boîte de savon à lessive Tide. Les gens qui le désiraient pouvaient composer un numéro sans frais et donner le code inscrit dans leur boîte. Leur compte de téléphone était alors automatiquement crédité de 1 $. Comme la très grande majorité des consommateurs téléphonaient de leur domicile (les téléphones portables étaient pratiquement inexistants il y a 15 ans), on pouvait, à partir des numéros de téléphone, connaître l'adresse des consommateurs et, donc, leur code postal (cela vous rappelle-t-il le chapitre 4?). Partant de là, il devenait relativement facile d'estimer combien de lessive ce ménage utilisait, en moyenne, chaque mois. Et, si la promotion durait quelques mois, on en arrivait à estimer la part de Tide dans la consommation totale de lessive de ce ménage.

Peu de manufacturiers se donnent la peine d'obtenir ce genre de statistiques. Cet exemple, bien que réel, est presque unique. Par contre, les détaillants, en particulier ceux qui offrent des programmes de fidélité, sont désormais en mesure de faire ce suivi. Nous avons parlé, au chapitre 5, de metro&moi, un programme de fidélité de troisième génération qui permet d'associer le profil sociodémographique d'un client à son profil de consommation. Ce faisant, Metro peut offrir à ce client des promotions sur mesure, créées en fonction des produits qui l'intéressent ou qui sont susceptibles de l'intéresser. Du coup, le détaillant peut augmenter sa «part des dépenses» de ce client pour un très grand nombre de produits. Le détaillant peut même aller plus loin en permettant à un manufacturier d'augmenter lui aussi sa part du gâteau. Prenons l'exemple (fictif) de clients de Metro qui boivent beaucoup de jus de pomme, mais n'achètent jamais les marques du fabricant québécois A. Lassonde (Oasis, Allen's, etc.). Celui-ci souhaiterait-il rejoindre ces clients? Leur offrir un bon de réduction afin de les inciter à essayer ses jus? Combien serait-il prêt à payer pour les rejoindre de cette façon?

Vous aurez compris, grâce à cet exemple, que le pouvoir du marketing commence à glisser des manufacturiers vers les détaillants. En réalité, c'est déjà fait. La raison en est fort simple. Ceux qui contrôlent l'information ont le pouvoir. Les détaillants sont devenus les maîtres du jeu. Pourtant, cette information pourrait bientôt passer des détaillants aux intermédiaires, qui, de plus en plus, la contrôlent et la gèrent – Air Miles, Google, Amazon, pour n'en nommer que quelques-uns.

Quel enseignement tirer de tout cela ? Que le marketing est désormais une lutte pour le contrôle de l'information. Posséder cette information ne signifie pas qu'on puisse faire l'économie d'une bonne stratégie, et encore moins d'une bonne application de celle-ci. Par contre, détenir une information de qualité, constamment mise à jour, sur les comportements des consommateurs que l'on vise devient essentiel au déploiement d'une stratégie de marketing. Celui qui contrôle l'information peut contrôler le jeu.

De la publicité de moins en moins de masse

« La moitié de l'argent que je dépense en publicité est gaspillée. Le problème, c'est que je ne sais pas quelle moitié. » Cette phrase, l'une des plus fréquemment citées en publicité (et, par extension, dans les cours sur le sujet), est souvent attribuée à Henry Ford. En fait, elle serait plutôt de John Wanamaker, un riche entrepreneur de Philadelphie qui a été l'un des premiers à ouvrir des grands magasins aux États-Unis.

Et c'est bien plus qu'une simple boutade. Quoique certains manufacturiers et certains détaillants arrivent à bien mesurer l'impact d'une campagne de publicité sur leurs ventes, beaucoup naviguent encore à vue. Ils ne peuvent pas dire avec précision ce que rapportent leurs investissements publicitaires. La situation tend toutefois à changer.

Après la récession de 1982, et en partie sous l'influence de cette crise, les entreprises ont commencé à devoir justifier chacune de leurs dépenses. Le marketing et les diverses activités commerciales, dont la publicité, n'ont pas échappé à cette analyse acérée. Le marketing direct, généralement structuré autour d'offres postales ou téléphoniques, s'en est trouvé grandement favorisé. S'il me faut 30 appels au coût unitaire de 10 $ pour réussir à vendre une thermopompe qui procure un profit brut de 340 $, je peux alors aisément calculer la rentabilité de mon opération (340 $ - 300 $ = 40 $). Les entreprises ont alors appris que l'impact de la publicité sur les ventes était mesurable. Et beaucoup y ont pris goût.

« MON PÈRE VA VRAIMENT BIEN RIRE
QUAND IL VA SE VOIR SUR YOUTUBE! »

Lorsque le Web s'est développé quelques années plus tard, les entreprises ont été séduites par les capacités de ce média, qui permet de mesurer directement et de façon précise l'efficacité de la pub qui y est diffusée. La mesure est tellement inhérente au Web que, contrairement aux autres médias (télé, radio, imprimés, etc.), où les tarifs sont encore basés sur le nombre de consommateurs qui « voient » une annonce, la publicité sur Internet se négocie le plus souvent en fonction du nombre de consommateurs qui auront «cliqué» sur une publicité.

Des arguments comme «l'émission la plus aimée au Québec» n'ont plus autant de poids lorsque vient le temps de démontrer la rentabilité d'une campagne publicitaire à un vice-président au regard aussi amène que celui d'un crocodile.

La facilité de mesurer le rendement d'un investissement en publicité sur Internet, combinée au fait que ce nouveau média permet de mieux cibler les consommateurs que l'on veut rejoindre, fait en sorte que la publicité de masse est de moins en moins utilisée. Ce changement a des conséquences importantes. Il entraîne le déclin des journaux, des magazines et de certaines chaînes de télé. Pis encore, il incite les entreprises à plafonner leurs dépenses publicitaires totales, tout en accélérant leurs investissements sur Internet.

La progression de la publicité dans les nouveaux médias est spectaculaire. Au Canada et aux États-Unis, les dépenses publicitaires dans les médias traditionnels n'ont crû, entre 2008 à 2010, que d'un maigre 1,3 %, passant de 124,6 milliards à 126,2 milliards de dollars[74]. En revanche, les investissements publicitaires sur Internet sont passés, au cours de la même période, de 22,7 à 28,5 milliards – une hausse de plus de 25 %! Google est allé chercher à lui seul 2,7 milliards en revenus publicitaires en 2010, soit 10 % de toute la publicité en ligne et 2 % de toute la publicité mondiale. Au Canada, les revenus publicitaires sur le Web ont frisé les 2 milliards de dollars en 2009, une hausse de 14 % par rapport à l'année précédente[75].

Cette tendance est là pour durer. Un récent sondage effectué auprès de quelque 200 gestionnaires de marques dans le monde[76] indique que 72 % d'entre eux prévoient diminuer leurs investissements publicitaires dans les médias traditionnels pour augmenter ceux qu'ils font sur Internet!

Bon. Nous sommes entre nous?

Ces statistiques ne peuvent me laisser indifférent, car elles me rappellent l'un des moments marquants de ma carrière. En février 1998, j'avais été invité au Publicité Club de Montréal à donner une conférence sur l'avenir de la publicité[77]. J'ai alors décidé d'aborder ce qui n'était alors qu'une toute petite tendance… le Web.

Jeune professeur aux HEC, j'ai naïvement dit ce que je pensais vraiment, c'est-à-dire que le Web allait tous nous botter le derrière si nous n'apprenions pas à composer avec cette nouvelle réalité. À la période de questions, l'un des publicitaires les plus respectés de l'industrie (que je connaissais alors peu, mais que je considère aujourd'hui comme un ami) s'est pointé au micro et s'est mis à m'engueuler comme du poisson pourri. Pour lui, le Web, c'était « de la foutaise » !

Je suis sorti de cette conférence un peu secoué, mais toujours convaincu que les nouvelles technologies étaient tout sauf « de la foutaise ».

Publicitaires, mes amis, si vous croyez encore que l'avenir de notre profession repose sur votre capacité à faire passer vos pubs de voitures sur trois chaînes de télé à la fois et dans la même case horaire (juste avant le bulletin de nouvelles de 22 heures), protégez bien votre arrière-train !

Pour vous en convaincre, je vous présente quelques petites statistiques[78]. Bien que le Canadien moyen passe encore 44 heures par semaine à regarder la télé ou des DVD, et presque 14 heures et demie à écouter la radio, il passe aussi 7 heures sur Internet, et moins de 40 minutes à lire des imprimés. Le changement est encore plus frappant chez les 18-24 ans. Internet accapare presque la moitié (44 %) du temps qu'ils consacrent aux médias. Ce qui en laisse moins du tiers (28 %) pour la télé, un petit cinquième (20 %) pour la radio et moins de un dixième (8 %) pour les imprimés[79].

Connaître les consommateurs, certes, mais comment ?

Les consommateurs ne voient généralement que la pointe de l'iceberg en matière de marketing, c'est-à-dire la publicité. Pour les spécialistes du marketing, la chaîne débute le plus souvent par le travail des cracks en études de marché – ou, si vous préférez, des gourous de la recherche commerciale. Ce sont eux qui scrutent les cœurs et les reins des consommateurs, leurs désirs, leurs intentions, leurs attitudes et leurs préférences.

L'industrie de la recherche commerciale est, après celle de la publicité, la deuxième en importance dans le monde du marketing. Aux États-Unis, les 50 plus grandes entreprises du secteur génèrent des revenus annuels de près de 9 milliards de dollars par an (19 milliards pour toute l'industrie)[80] et emploient plus de 30 000 personnes[81].

Cette industrie se concentre traditionnellement sur les méthodologies classiques de la recherche marketing : le sondage, les entrevues en profondeur et les groupes de discussion. Des méthodes qui, chacune à leur manière, tentent de mieux comprendre et, surtout, de mieux prévoir les comportements des consommateurs.

Pour les «non-professionnels du marketing» qui sont restés avec nous pour ce chapitre, précisons que c'est grâce à de telles méthodes qu'on vous appelle chez vous le soir, généralement à l'heure du bain des enfants, afin de vous demander si vous avez l'intention d'acheter une voiture cette année et si oui, laquelle.

Or, bien que ces méthodes de recherche, les sondages en particulier, soient là pour rester, ne serait-ce que parce que les analystes politiques y ont beaucoup recours, elles sont en déclin. Les deux études citées plus haut révèlent en effet une tendance lourde. En dollars constants, le secteur des sondages n'a pratiquement pas connu de croissance depuis 2007. Une grande partie de cette stagnation s'explique par la récession de 2008, mais il y a plus.

Deux types d'acteurs se partagent maintenant l'industrie de la recherche commerciale. D'un côté, il y a les firmes classiques, qui se spécialisent dans la recherche traditionnelle. Ces entreprises, plus nombreuses, sont souvent de plus petite taille et tirent leur pain et leur beurre de ces sondages, groupes de discussion et entrevues avec des gestionnaires et des consommateurs dont je viens de parler. En 2009, elles ont vu leurs revenus totaux fondre de 7 %[82].

De l'autre côté, on trouve les acteurs les plus importants, qui travaillent maintenant beaucoup moins à partir de recherches traditionnelles qu'avec des bases de données. Or, les affaires que font les entreprises de ce secteur se sont maintenues et, dans certains cas, ont crû d'une manière très appréciable au cours des dernières années. C'est le cas, par exemple, de Nielsen, d'IMS ou encore de dunnhumby. Ces firmes ont une chose en commun. Elles ont appris à ne plus se fier aux attitudes et aux intentions des consommateurs, mais plutôt à leurs comportements.

Nielsen (autrefois connue sous le nom d'ACNielsen) ne dépend plus de ce que les consommateurs *disent* avoir fait ou *croient* qu'ils feront. Elle laisse des lecteurs optiques chez eux afin qu'ils scannent tous leurs achats, et reçoit cette information en temps réel, en format numérique. IMS, spécialisée dans les médicaments d'ordonnance, suit l'industrie pharmaceutique à partir d'imposantes bases de données qui lui permettent de savoir quel médecin prescrit quels médicaments, quels patients les achètent et à quel endroit. Impressionnant, non?

Une étape plus loin dans la même foulée, dunnhumby est devenue la championne toutes catégories de la recherche commerciale en temps réel. Cette firme se spécialise dans l'analyse de données recueillies à partir des cartes de fidélité offertes par plusieurs détaillants. C'est elle qui a conçu le programme metro&moi, dont il a été question au chapitre 5. Un programme remarquable, qui permet de savoir qui achète quel produit et à quelle fréquence. Cette firme est au cœur de l'évolution du domaine de la recherche commerciale dont nous avons parlé plus haut. Un pas de plus vers la conquête de votre portefeuille.

dunnhumby a connu, entre 2008 et 2010, une croissance de 60 % sur le marché américain. Ses ventes se chiffraient en 2010 à 110,7 millions de dollars : pour une entreprise de seulement 173 employés, cela fait des ventes de plus de 600 000 $ par employé. À titre comparatif, et aussi en 2010, Burke, qui se spécialise depuis longtemps dans la recherche plus conventionnelle, affichait des ventes de 45,4 millions, en baisse de 23 % par rapport à 2008. Ce qui, avec 205 employés, représente moins de 200 000 $ par employé[83].

Que retenir de ces chiffres chers collègues? Eh bien, que la Terre tourne! Et qu'elle gravite de plus en plus autour des stratégies basées sur ce que les consommateurs font, et de moins en moins sur ce qu'ils croient ou disent faire. Remarquez que la chose n'est pas nouvelle. Un article publié dans le très prestigieux périodique *Management Science* annonçait déjà ce changement de paradigme en 1982[84].

Je m'en souviens, car je commençais alors mes études de doctorat. Cet article avait suscité à l'époque de vives discussions entre mes confrères et consœurs et moi sur l'avenir de notre profession. Nous nous demandions si nous allions un jour en venir à comprendre et à prévoir les comportements des consommateurs uniquement à partir d'une analyse fine de leurs comportements antérieurs. La réponse – typique des bons intellectuels que nous étions – a sans doute été quelque chose comme « p'têt' ben qu'oui, p'têt' ben qu'non ». La modélisation des comportements des consommateurs grâce à une approche stochastique[85] paraissait déjà prometteuse. Il ne nous manquait alors que les données et la capacité de calculs nécessaire pour les traiter. Merci, Google, merci, dunnhumby, et merci, IBM !

Non, les consommateurs n'ont pas l'âge mental d'un enfant de huit ans

Contrairement à ce que de grands penseurs ont souvent affirmé[86] – et à ce que certains d'entre nous considèrent encore parfois comme une vérité –, les consommateurs n'ont pas l'âge mental d'un enfant de huit ans, qu'ils soient seuls ou en groupe. Bon, d'accord, si vous vous êtes déjà retrouvé dans un restaurant sportif après un match des Canadiens de Montréal, vous en doutez peut-être, mais c'est un cas particulier.

Ce jugement sur l'âge mental des consommateurs vient en partie d'une référence aux travaux du psychologue suisse Jean Piaget[87], qui portent sur le développement cognitif des enfants. Piaget a entre autres mené, avec sa collègue Bärbel Inhelder, une expérience où il s'est intéressé au développement du concept de quantité chez les enfants. Pour ce faire, les deux chercheurs ont demandé à des enfants de dire s'il y avait plus d'eau dans une flûte à champagne ou dans un verre plus petit et plus trapu, les deux verres contenant en réalité la même quantité de liquide. Aujourd'hui, comme à l'époque de Piaget, les enfants prennent habituellement le verre le plus élancé. La tendance à faire cette erreur s'estompe toutefois avec l'âge.

Dans le même ordre d'idées, et si vous ne l'avez pas encore vu, je vous invite à visionner le « Marshmallow Test » sur YouTube, une expérience initialement conçue par le psychologue américain Walter Mischel. Mischel offre le choix suivant à des enfants : une guimauve qu'ils peuvent manger tout de suite, ou deux guimauves qu'ils ne pourront manger qu'après un certain temps (de 1 à 15 minutes dans l'expérience initiale)[88]. Bien entendu, plus les enfants sont jeunes, moins ils acceptent d'attendre.

Sur la base de telles expériences, on a trop souvent conclu que les consommateurs étaient des enfants, faciles à berner et plus attirés par la gratification immédiate que par l'offre qui se révèle la plus avantageuse pour eux. Au fait, avez-vous acheté l'énorme baignoire dont je vous ai parlé au chapitre 6? Vous savez, celle que vous pouvez installer *immédiatement* dans votre cour pour aussi peu que 89 $ par mois?

Mais, en cette matière, la récession de 2008 a peut-être eu plus d'effets bénéfiques qu'on ne le pense. En tout cas, elle a contribué à réveiller des entreprises qui s'étaient assoupies en tenant pour acquis que leurs clients étaient de grands naïfs qui seraient toujours prêts à acheter leurs produits, quelle qu'en soit la qualité. L'industrie automobile – les constructeurs américains en particulier – est l'une de celles qui ont connu le réveil le plus brutal.

Comme nous l'avons vu au début de ce livre, les stratégies de marketing fondées sur du crédit à rabais ont réussi un temps à endormir la vigilance des consommateurs. L'obsolescence planifiée a permis à certaines entreprises de renouveler leurs ventes à un rythme quasi constant. Et les bas prix ont incité beaucoup de gens à acheter des produits de mauvaise qualité. Mais, il est temps de le reconnaître : la dernière récession n'a pas réveillé que les entreprises, mais aussi les consommateurs.

De nombreuses études[89] confirment que les acheteurs commencent à dépenser d'une manière plus astucieuse. Les nouvelles technologies y sont pour quelque chose, puisque, comme nous le verrons au prochain chapitre, elles permettent aux consommateurs de suivre leur budget en temps réel, à partir de leur téléphone portable ou de leur tablette numérique, tout en trouvant le produit correspondant le mieux à leur besoin[90].

S'il faut un dernier exemple pour convaincre les dirigeants d'entreprise de l'évolution de leur clientèle cible, permettez-moi de citer le PDG de l'un des plus importants détaillants en alimentation du Québec qui, dans une conférence donnée à Montréal en juin 2011, a souligné à quel point, depuis deux ans, les comportements des consommateurs avaient changé. Selon lui, la tendance est manifeste et mesurable – son entreprise l'a d'ailleurs mesurée. Ses clients achètent moins, mais ils choisissent des articles de meilleure qualité, et ce, tout en recherchant les meilleurs prix. Bref, pas exactement le comportement d'un enfant de huit ans.

Que retenir de ces tendances? Il me semble évident que l'avenir du marketing risque de ne pas ressembler à son histoire récente. Plusieurs des pratiques qui ont fait la fortune de nombreuses entreprises sont actuellement remises en question, et certaines sont carrément dépassées.

La pratique de l'obsolescence planifiée est de loin celle qui prend le plus l'eau. À cet égard, je n'en reviens pas encore de voir des manufacturiers qui, après nous avoir proposé le rasoir à deux lames, puis à trois, essaient maintenant de nous convaincre des vertus du rasoir à cinq lames. Comme le disent nos voisins américains, «*so what's for an* encore?» Traduction: à quand le rasoir à 12 lames?

Je sais, je sais, on n'arrête pas le progrès. Et qu'y a-t-il de mal à faire profiter les consommateurs de toutes ces merveilleuses avancées? Eh bien, voilà, chers collègues: les consommateurs attendent mieux de nous, et rapidement. À moins que vous n'ayez pas encore entendu parler de marketing vert – dans ce cas, je vous suggère fortement de faire quelques recherches –, sachez que la conception évolutive (fabriquer, par exemple, un rasoir à deux lames conçu dès le départ pour recevoir d'éventuelles cartouches de cinq lames), la récupération et le recyclage des produits en fin de vie sont des tendances de fond.

Ces tendances, dictées par les consommateurs, nous obligeront à respecter leur intelligence. Beaucoup plus que nous ne l'avons fait dans le passé. Le prix, certes, mais aussi la qualité et la durabilité des produits, de même que le fait de prévoir leur cycle de vie en fonction d'une économie durable, voilà des enjeux auxquels nous devrons faire face. Je suis prêt à parier que nous verrons sous peu une publicité du style: «Voici la dernière imprimante que vous aurez à acheter. »

Une autre tendance importante: vous ne pouvez plus leurrer vos clients sur la valeur réelle d'un produit. Avec les applications pour téléphones portables, notamment celles qui permettent de lire les codes à barres, la majorité des consommateurs pourront comparer les prix et savoir si les «offres imbattables» que vous proposez valent vraiment le détour – ou si comme le disent plusieurs «ce n'est que du marketing». Ouch!

Dernière remarque: oubliez, du moins pour quelques années, l'idée de faire plus d'argent grâce au financement d'un achat plutôt qu'en vendant un produit. Les géants américains de l'automobile se sont brûlé les doigts à ce petit jeu, et les consommateurs, eux, hésitent de plus en plus à s'endetter. Ainsi, même dans un contexte économique plus favorable que celui de bien des pays, le crédit à la consommation a commencé à diminuer au Canada au début de 2011[91]. Cela se voit même dans les résultats des banques[92], dont certaines accusent une baisse des prêts sur carte de crédit[93].

Et qu'en est-il de l'avenir ?

Je ne crois pas être un visionnaire, encore moins un gourou du marketing. Je laisse ce privilège aux Clotaire Rapaille[94] de ce monde. Il y a cependant trois recommandations que j'aimerais faire à mes collègues.

La première, je l'ai déjà faite en 1990, en incitant ceux qui se préparaient alors à assurer la relève à être plus compétents dans l'analyse des bases de données qui portent sur les achats des consommateurs.

C'est cette année-là que j'ai pris la direction du service de l'enseignement du marketing à HEC Montréal. À cette époque, une centaine d'étudiants, chaque année, obtenaient leur baccalauréat en administration des affaires (B.A.A.) avec spécialisation marketing. Mais, il y en avait au moins autant qui avaient choisi l'option mixte marketing-finance, et je voulais savoir pourquoi. Je leur ai donc posé la question. À ma grande surprise, la raison était la même que celle qui m'avait moi-même poussé, presque 15 ans auparavant (eh oui, en 1977!), à faire ce choix. Ils trouvaient que « mettre un peu de chiffres » dans le programme de B.A.A. avec spécialisation marketing ajouterait à la crédibilité du diplôme.

Devenu directeur du service de l'enseignement du marketing, donc, j'ai eu tôt fait de convoquer tous les futurs diplômés à une réunion (disons plutôt : de les contraindre à y assister) afin de les exhorter à changer leur façon de voir les choses. Je me souviens comme si c'était hier de leur avoir dit à peu près ceci : « Vous savez, l'avenir du marketing est dans les bases de données. Alors, si vous souhaitez ajouter "des chiffres" et plus "de sérieux" à votre formation, plutôt que de choisir la spécialisation mixte marketing-finance, pourquoi n'opteriez-vous pas plutôt pour l'option mixte marketing-systèmes d'information ? » Croyez-le ou non, en 2011, donc plus de 20 ans après cette recommandation – dans laquelle j'avais mis toute mon autorité nouvelle –, HEC Montréal a diplômé 34 étudiants en marketing-systèmes d'information. Huit fois plus qu'à l'époque, mais encore beaucoup moins que ce que le marché pourrait absorber.

L'offre de cours a changé. Le programme de B.A.A. en marketing inclut désormais des cours d'analyse de bases de données et de marketing électronique. Pourtant, trop d'étudiants inscrits à ce programme ne mesurent pas encore suffisamment l'importance de ces nouvelles réalités. Plus de données, plus de « Google Analytics », plus de mesures d'efficacité, là est votre avenir, les jeunes. Et probablement le nôtre aussi, les moins jeunes!

Ma deuxième recommandation, je l'ai, en quelque sorte, déjà faite plus haut. Je crois, chers collègues, que notre avenir dépend du développement de notre sens éthique.

Si j'avais fait un chapitre sur cette question, je l'aurais intitulé « De Kotler à Kant ». Philip Kotler (né en 1931), au cas où vous l'auriez oublié, est considéré comme le père du marketing moderne. Les 4P (prix, produit, promotion et place), c'est lui. Quant à Emmanuel Kant (1724-1804), c'est encore le philosophe le plus influent en matière d'éthique. Pourquoi « De Kotler à Kant », si le second précède le premier de plus de deux siècles? Simplement parce que, dans notre recherche de pratiques de marketing de plus en plus efficaces, nous avons un peu négligé les dimensions éthiques. Soyons honnêtes, il reste beaucoup de travail à faire!

Je me suis gardé, dans ce livre, du réflexe habituel des profs d'université, c'est-à-dire citer à répétition les articles scientifiques que j'ai publiés. Je me permets cependant d'en mentionner trois, que j'ai eu le plaisir d'écrire il y a déjà près de 20 ans[95]. Pas jeunes jeunes, ces articles, mais pas dépassés non plus. Ils proposent à la fois des questions que l'on doit se poser et des règles de conduite à adopter pour faire du marketing efficace sans pour autant abuser des consommateurs.

Ces articles découlent d'une série de recherches que mon collègue William Weeks et moi avions faites sur les considérations éthiques dans les pratiques de marketing. Il nous était apparu très rapidement que l'approche éthique qui les régissait était ce que l'on appelle, en philosophie, l'« utilitarisme » . Une approche simple – presque simpliste, en fait –, selon laquelle la somme des conséquences positives d'une action doit être supérieure à la somme de ses conséquences négatives.

Pas trop exigeant, n'est-ce pas ? « Si les consommateurs répondent comme je le souhaite à mes stratégies de marketing, ça veut dire que c'est bon pour eux, sinon ils ne le feraient pas. » CQFD. Maintenant, on peut passer à autre chose, on a la conscience tranquille. Qu'est-ce qu'ils sont utiles, ces consommateurs !

Bref, l'approche utilitariste a servi à donner bonne conscience à pas mal de monde pendant des décennies. On n'a qu'à penser à ce qu'a fait l'industrie du tabac pour vendre des cigarettes, dont on a laissé entendre qu'elles n'étaient pas néfastes pour la santé[96], et en particulier à tous les efforts qui ont été faits pour que fumer devienne attrayant pour les jeunes[97]. Pas étonnant que le public soit devenu si méfiant et si critique.

Face à des consommateurs de plus en plus prompts à scruter nos comportements de spécialistes du marketing, deux avenues s'offrent à nous. Nous résistons le plus longtemps possible, en faisant valoir que les clients sont des êtres matures et rationnels, et que, s'ils achètent ce que nous leur proposons, c'est la preuve que ce que nous faisons est éthique. Ou bien nous prenons les devants en nous dotant d'un code de conduite, voire d'un code de déontologie[98]. Cette seconde avenue exige toutefois que nous, spécialistes du marketing, consentions à écouter notre conscience autant que nos patrons ou nos clients et leurs actionnaires. Les principes à suivre sont connus et simples : ils découlent, pour la plupart, des fondements de l'éthique proposés par Kant. Chers collègues, laissez-moi vous en offrir six, gratuitement et sans aucune obligation de votre part. Six principes que je vous présente comme autant de questions à se poser quand on conçoit une stratégie ou une campagne de marketing.

1. Les pratiques en question violent-elles une loi ou, même, l'esprit d'une loi ?

2. Mettent-elles en péril la santé ou la sécurité d'autrui ?

3. Vont-elles à l'encontre du devoir d'exactitude ? Par exemple, la publicité ou la garantie offerte laisse-t-elle entendre quelque chose de différent de ce qui est prévu en réalité ?

4. Vont-elles à l'encontre du devoir de gratitude? Par exemple, offre-t-on davantage aux nouveaux clients (primes, cadeaux, réductions) qu'à ceux qui sont fidèles depuis longtemps[99]?

5. Vont-elles à l'encontre du devoir de justice? Par exemple, tente-t-on d'écouler des produits périmés ou obsolètes sur un marché où les consommateurs (parce qu'ils sont moins instruits, par exemple) s'en rendront difficilement compte?

6. A-t-on consciemment rejeté une pratique qui aurait procuré les mêmes avantages tout en ayant moins de conséquences néfastes?

Finalement, voici ma troisième et dernière recommandation. Même si vous devez, chers collègues, ouvrir l'œil sur l'immédiateté de vos actions, sur les ventes à court terme et sur les profits et commissions qui en découlent, de grâce, ouvrez l'autre œil sur les changements qui sont en train de se produire et qui auront un impact sur votre avenir comme sur le mien. La Terre tourne, les consommateurs changent et ils vous ont de plus en plus… à l'œil. Au moins autant que vous les avez dans votre mire.

Gardez à l'esprit que les systèmes d'information, en particulier le Web, fonctionnent désormais dans les deux directions. S'il est facile pour vous d'obtenir des renseignements sur les consommateurs, il l'est tout autant pour eux de scruter vos pratiques. Avant qu'ils ne concluent que nous avons l'âge mental d'enfants de huit ans, nous devrions peut-être repenser certaines de nos façons de faire.

Chapitre 9

Parce qu'on veut votre bien

Nous voici arrivés au terme d'un drôle de voyage. Crise financière, endettement, nouvelles technologies, flou budgétaire, consommation débridée : voilà beaucoup de sujets qui, de prime abord, pouvaient sembler disjoints.

Si je me suis permis de vous présenter tous ces éléments tantôt en rafale, tantôt sous forme d'un étrange bouquet, c'est qu'ils sont beaucoup moins disjoints qu'on ne peut le croire : ils constituent ce qui, déjà au début des années 1990, était qualifié de « nouvelle économie ».

La nouvelle économie, point de départ
d'un long voyage

Au début des années 1990, l'expression « nouvelle économie » désignait surtout une économie du savoir, par opposition à l'économie manufacturière qui, après avoir remplacé l'économie agricole, a dominé le XXe siècle. Une nouvelle ère dont l'idée maîtresse était d'optimiser nos mécanismes de production et de commercialisation, grâce aux nouvelles technologies et en misant sur la création et la diffusion des connaissances. Cette idée était porteuse de beaucoup de promesses[100], dont la plupart se sont avérées.

Nous vivons désormais dans une économie qui favorise la production et la diffusion de la connaissance. Même si l'on a souvent l'impression que les gouvernements devraient intervenir davantage en matière d'environnement, leurs investissements dans l'économie du savoir ont permis de mettre au point plus de technologies vertes au cours des 20 dernières années que pendant tout le XXᵉ siècle[101]. Les progrès en matière de connaissances médicales et pharmaceutiques sont tout aussi impressionnants.

Il en va de même pour la diffusion et l'appropriation des connaissances. Vous voulez tout lire sur Victor Hugo, tout savoir (ou presque) sur l'octroi des contrats municipaux dans votre ville, trouver les meilleurs tarifs pour un vol Montréal-Rio ou encore visiter le Louvre de votre salon? Rien de plus simple. Tout vous est désormais accessible. Même chose du côté de la médecine, où Internet est devenu la principale source d'information pour beaucoup de gens, y compris, bien souvent, les professionnels de la santé:

Cette nouvelle économie a réalisé des prodiges, et elle a aussi bouleversé l'ordre des choses. De nouveaux empires ont émergé, d'autres ont été détruits. Au début des années 1990, les géants de l'industrie de la musique avaient pour nom Sony, Bertelsmann, EMI. Leurs produits étaient sagement distribués chez tous les bons disquaires. Aujourd'hui, les leaders de l'industrie sont des commerces qui n'existaient même pas il y a 20 ans, comme Amazon.com et iTunes Store. Même chose dans l'industrie du voyage, où des géants comme Expedia et TripAdvisor sont devenus incontournables. Quand on pense que l'un des plus importants acteurs mondiaux de la publicité, Google[102], n'existait pas il y a 20 ans, et qu'il se fait chauffer les fesses par Facebook, une société qui, elle, n'existait pas il y a 10 ans, il y a de quoi rester stupéfait.

Si les mondes industriel et financier ont su s'adapter tant bien que mal à cette nouvelle économie, qu'en est-il des consommateurs? Ne serait-il pas temps de les mettre au parfum? Je n'ai pas la prétention de tout vous montrer. Mais, comme j'ai eu l'occasion d'enseigner les nouvelles règles du jeu du marketing à des centaines d'investisseurs, de financiers, de manufacturiers et de détaillants au cours de ces 20 dernières années, je me permets, en terminant ce livre, de partager avec vous les principales règles de survie que les consommateurs devraient connaître dans cette économie en pleine mutation.

Tous au buffet de la gare !

La nouvelle économie n'aurait pu prendre son envol sans une contribution majeure des consommateurs. Contribution qui, nous l'avons vu, a d'abord pris la forme de nouveaux postes de dépenses, tous liés à des technologies. Internet, bien entendu, mais aussi les ordinateurs, le câble, les téléphones portables et les diverses applications qui s'y rattachent. Bien que le prix de certains appareils, dont les ordinateurs et les imprimantes, ait diminué depuis que vous avez acheté votre premier ordinateur, le total de vos dépenses liées aux nouvelles technologies, comme vous l'avez sans doute constaté, a augmenté. L'explication ? Des applications de plus en plus sophistiquées, et cette bonne vieille obsolescence planifiée.

Comme si, à l'aube d'un long voyage, nous nous étions précipité au buffet de la gare afin de faire des provisions, et que nous réalisions qu'il fallait recommencer à chaque arrêt. Car, les technologies d'aujourd'hui n'ont rien à voir avec celles qui s'en viennent. Et si vous êtes assez fort pour résister à l'attrait des dernières innovations, les problèmes de compatibilité se chargeront de vous ramener à la réalité.

Regardez bien tout ce qui passe actuellement par votre ordinateur, en particulier ce qui est gratuit. D'ici peu, l'essentiel de ce vous y voyez se retrouvera sur votre téléphone portable ou votre tablette numérique. Et vous aurez à payer pour une grande partie de ce qui, jusqu'à maintenant, était gratuit. En mai 2011, le journal *The Gazette* de Montréal annonçait que son site Web serait désormais payant, une position adoptée avec succès par *Le Devoir* quelques années auparavant. Vous faites vos transactions bancaires par Internet ? Vous avez sans doute remarqué que les frais augmentent. Vous avez peut-être, comme bien d'autres, téléchargé de la musique sans rien payer ? Si vous piratez encore, sachez que vous faites partie d'une espèce en voie de disparition. De 16 millions qu'ils étaient en 2007, les Américains qui téléchargent ainsi de la musique n'étaient plus que 9 millions en 2010[103]. Dans l'industrie, en contrepartie, les ventes générées par les téléchargements légaux surpassent désormais les ventes de CD[104]. Bref, il y a fort à parier que vous contribuerez de plus en plus aux revenus et aux profits des entreprises qui ont ajusté leurs stratégies de marketing aux réalités de la nouvelle économie. D'où l'importance d'ajuster votre propre stratégie de consommation.

◻ Conseil n° 1 : faites un budget !

Nous vivons dans une société où tout va vite et où nous n'avons pas le temps de penser, et encore moins de planifier. Un monde idéal pour les gens qui travaillent en marketing ! Mes collègues et moi sommes comme des poissons dans l'eau dans un tel environnement. Et vous, savez-vous y naviguer ? Permettez que je vous donne un petit conseil : faites un budget !

Je sais, je sais, ce n'est pas très sexy comme premier conseil. Vous vous attendiez sûrement à mieux. Après tout, votre mère aurait pu faire la même chose. D'ailleurs, elle le faisait peut-être. Dans ce cas, pourquoi sommes-nous si peu nombreux à utiliser cet outil ?

Comme je vous l'ai déjà mentionné, faire un budget nécessite trois éléments. Une idée de ses revenus, une idée de ses dépenses, et, bien entendu, des objectifs à court, à moyen et à long terme. Règle n° 1 : soyez réaliste quant à vos revenus. Les augmentations de salaire que vous prévoyez ne doivent apparaître dans votre budget qu'une fois qu'on vous les aura accordées. Ni la carte de crédit ni la marge de crédit ne constituent des sources de revenus. Et espérer trouver un deuxième emploi ou un *nouveau conjoint* (ou une conjointe) plus riche ne sont pas non plus des sources de revenu budgétaire acceptables. Bref, on n'inscrit sur la ligne des revenus que ce qui est certain.

Règle n° 2 : soyez tout aussi réaliste avec vos dépenses. D'abord, les dépenses incompressibles. À elles seules, les dépenses liées à l'habitation (loyer ou hypothèque, services publics et taxes foncières), à l'alimentation et au transport (voiture et essence, ou transport en commun) représentent plus de 65 % de vos sorties d'argent. Si je veux vous faire dépenser au-delà de vos moyens, c'est souvent grâce à d'autres postes budgétaires que je pourrai y arriver. Les loisirs, les vêtements, les meubles et les accessoires, les restaurants et, pourquoi pas, les voyages. Vous me direz que ces dépenses sont plus difficiles à budgéter a priori. Vrai, et c'est justement par là que s'infiltrent les dettes. On n'a aucun mérite à budgéter son loyer mensuel!

Regardez à nouveau les postes dont il est question au paragraphe précédent. Peut-être ne l'avez-vous pas réalisé, mais ce sont les catégories de produits qui, le plus souvent, donnent lieu à des stratégies de marketing croisé, notamment sur Internet.

Si l'aventure vous tente, je vous recommande d'aller sur le site d'une institution financière, n'importe laquelle. Vous y trouverez presque à coup sûr des trucs pour mieux gérer un budget, et peut-être même la possibilité de le faire en ligne tout en réalisant différentes simulations. Et toutes les institutions financières, bien entendu, sont prêtes à vous aider au besoin. Vous n'aurez qu'à laisser votre courriel…

Il existe aussi des applications[105] qui permettent de noter, dans votre portable ou votre tablette numérique, chaque achat et chaque compte payé afin de voir si vous respectez votre plan de match. Ces applications vous proposent même, pour un produit donné ou une manière de financer un achat, d'autres options pour optimiser votre budget.

La règle n° 3 maintenant. Celle-ci s'inscrit dans la durée. Un bon budget devrait inclure un poste qui incite à différer une partie de la consommation. L'épargne est le meilleur exemple. Il n'y a pas si longtemps encore, les Canadiens épargnaient 10 % de leurs revenus disponibles. Aujourd'hui, nous sommes à moins de 5 %. Mais ces ratios ne veulent rien dire si l'on ne sait pas pourquoi on met de l'argent de côté. La première fonction de l'épargne est de se constituer un coussin pour les mauvais jours. Je suis d'une génération où l'on nous montrait très tôt à avoir en réserve l'équivalent de trois mois de nos dépenses de base. Avec le temps, nous nous sommes peu à peu convaincus que la carte de crédit ou la marge de crédit pouvait jouer ce rôle. Résultat?

Le Canadien moyen dispose aujourd'hui de moins d'un mois d'avance en liquidités, que celles-ci proviennent de son revenu, de ses épargnes ou encore de toutes ses sources de crédit[106].

Trois mois! Mais n'en soufflez mot à personne – surtout pas à moi, parce que je pourrais bien tenter de vous les faire dépenser.

Une autre raison de s'astreindre à un budget est de pouvoir acheter, de manière différée, mais sans s'endetter, un produit ou un service. Un voyage, la mise de fonds sur une maison ou sur un chalet, des meubles, une voiture, ou encore la retraite (eh oui, les bons vieux REÉR). Toutes des choses, sauf la retraite, que l'on pourrait s'offrir immédiatement à crédit. La différence? Il vous en coûtera 6 % à 20 % de plus, selon la forme de crédit utilisé. C'est le prix à payer pour acheter maintenant et payer plus tard.

◘ Conseil n° 2 : suivez votre budget !

Faut-il vraiment que j'explique ce point? Il y a quand même une chose que je tiens à dire.

Sans doute avez-vous déjà vu ce slogan publicitaire de l'une des grandes banques canadiennes : «Vous êtes plus riche que vous ne le croyez.» Quel bonheur !

Pensez-y un instant. Ce n'est pas Centraide qui vous dit cela en espérant faire de vous un généreux donateur. C'est une banque! Et la banque sait que vous avez possiblement des actifs de plus grande valeur que vous ne le pensez, notamment si vous possédez une maison. Et si c'est le cas, on vous proposera avec plaisir toutes sortes de prêts adossés à ces actifs. Pour quoi faire? La plupart du temps, pour vous permettre d'acheter des biens et services à court terme. Un voyage, des rénovations, une deuxième voiture. Rien de mal là-dedans, mais avouez que c'est un chouïa paradoxal. Vous épargnez pour investir dans une maison ou dans votre REÉR ou pour faire des placements, et l'on vous incite à emprunter sur ces actifs afin de vous procurer, à court terme, des biens et services généralement éphémères. Avec une telle logique, vous auriez pu vous épargner l'étape, justement, de… l'épargne.

Quelles conclusions tirer de ce second conseil? Ne confondez pas vos actifs (ce que vous avez en propre) et vos revenus (votre paye). Tout étudiant qui a suivi un premier cours de comptabilité à HEC – et, à plus forte raison, un banquier – sait cela. En un mot, vos actifs ne doivent pas entrer en considération dans votre budget. Pourtant, pour la majorité des consommateurs, moi y compris, cette distinction tend à disparaître quand vient le temps d'acheter. N'utilisez le crédit que s'il s'inscrit dans la logique de votre budget, et qu'il ne met aucunement en péril la valeur de vos actifs. Rappelez-vous cette statistique dont je vous ai parlé au chapitre 2 : presque 40 % de ceux qui ont pris une deuxième hypothèque pour acquitter des dépenses courantes se sont retrouvés en mauvaise posture[107].

◧ Conseil n° 3 : ne croyez pas au père Noël

Vous connaissez sans doute l'expression « Si ç'a l'air trop beau pour être vrai, ça l'est sûrement. » Certaines des offres que vous recevez d'entreprises ou de détaillants sont réellement avantageuses, mais elles ne le sont pas toutes. Prenez les promotions des débuts de saison – les skis en octobre, les fleurs annuelles en mai ou encore les fournitures scolaires en août. La plupart des bons commerçants achètent ces articles en très grosses quantités, en négo-ciant des réductions qu'ils offriront à leurs clients. Par contre, tous les arti-cles ne seront pas en solde dans le magasin... Le but est en effet d'attirer les clients avec des articles à très bas prix (dans le métier, on parle de « produits d'appel ») en espérant qu'ils en achèteront d'autres à plein prix. C'est pour-quoi les marchands annoncent généralement « la plupart des produits à 50 % » et non « tout à 50 % » (le « tout à 50 % » est beaucoup plus rare, et surtout utilisé pour les invendus ou les fermetures de magasins).

Alors, que faire ? Vous pouvez acheter seulement produits d'appel. C'est plus facile à faire à l'épicerie ou à la pharmacie que dans un magasin d'ar-ticles de sport. Alors, si les skis qui vous intéressent ne sont pas soldés, demandez-vous – et vérifiez – à quel prix on les vend ailleurs. Au début de la saison et à plein prix, ils ne s'envoleront pas. Comme le père Noël n'exis-te pas, mieux vaut se fier à son esprit critique.

L'un des enseignements les plus percutants que j'aie reçu en la matière m'a été fourni par des étudiants jouant au football pour les Carabins de l'Uni-versité de Montréal (si vous croyez que votre facture d'épicerie est élevée, invitez-en deux ou trois durant une semaine : vous comprendrez l'intérêt d'acheter votre viande en format de 10 kilos dans un magasin-entrepôt). L'un de ces joueurs m'a raconté qu'un jour, au retour du camp d'entraîne-ment printanier, l'équipe s'était arrêtée dans un « buffet à volonté » où l'on servait des homards. Il avait remarqué que chaque homard était accompa-gné de riz et d'un petit pain. Il a alors décidé de ne manger que le homard, et de laisser le reste. Le patron du resto, vous l'aurez deviné, est venu le voir dès le troisième homard!

Les professionnels du marketing sont payés très cher pour vous faire des offres que vous ne pourrez pas refuser. La très grande majorité de ces offres sont honnêtes, et la plupart peuvent même être avantageuses. Toutefois, croyez-moi, le but premier n'est pas de vous faire plaisir. L'objectif est de faire du profit, ce qui est tout à fait normal en affaires. Par contre, rien ne vous empêche de vous livrer à un petit exercice critique. Demandez-vous comment le marchand ou le fabricant qui vous fait une si belle offre s'y prendra pour réaliser plus de profit que s'il ne vous l'avait pas faite. Il n'y a rien de mal à être aussi malin que celui qui veut votre bien. Si le père Noël n'existe pas, rien ne vous oblige à être le dindon de la farce.

Un dernier mot à ce sujet: méfiez-vous des offres qui dépassent ce que vous avez prévu dans votre budget. Si, pour épargner 10 $ à la SAQ, vous devez acheter deux fois plus de vin que vous ne le vouliez, ou que vous ne le pouvez, c'est une promotion qui vous coûtera très cher.

◩ Conseil n° 4: sachez qui sont vos vrais amis

Comme nous l'avons vu, tout le monde, sur le Web, veut votre bien et souhaite devenir votre ami. Les marchands y compris. Ils rêvent surtout d'obtenir plus d'information à votre sujet.

«Gardez vos amis près de vous, mais gardez vos ennemis encore plus près», déclare Al Pacino dans *Le Parrain 2*. Cette phrase me revient en mémoire chaque fois que je consulte les statistiques du réseau Facebook, dont le nombre moyen «d'amis» par utilisateur. En fait, c'est une variante de cette réplique qui me vient alors à l'esprit: «Qu'ils soient près ou loin, tes ennemis ont peu d'importance. C'est de tes amis dont tu dois te méfier.»

On parle beaucoup de la fraude sur Internet. Des individus sans scrupule veulent vous voler, démolir votre réputation ou, pire encore, s'emparer de votre identité. Il est essentiel de vous protéger de ces filous. Cela dit, c'est relativement facile quand on se trouve devant un courriel qui ressemble à ceci: «Je suis ta caisse potulaire et je faux remettre mes système à jours. S'il vous plait incritez ci-après votre code NIP et votre adresse. [sic]» La supercherie est encore plus facile à détecter lorsque le message provient, comme c'est souvent le cas, d'une institution financière dont vous n'êtes même pas client! Comment, par contre, se protéger d'un ami Facebook qui vous recommande à un marchand pour vous faire profiter de ses super aubaines?

Il existe des méthodes connues pour éviter les principales fraudes sur le Web. Le Commissariat à la protection de la vie privée du Canada fait, à cet égard, un travail de sensibilisation remarquable[108]. Ses conseils sont simples et efficaces. On rappelle que certains renseignements sont, par définition, confidentiels et que nous ne devrions jamais les communiquer, à moins d'être sûrs de la personne, de l'organisation ou du site à qui nous les donnons. L'information la plus importante à protéger demeure le numéro d'assurance sociale (NAS), suivi de: adresse de courriel, revenus, achats, habitudes de consommation, renseignements bancaires, données sur vos cartes de crédit et de débit, rapports d'emprunts ou de solvabilité, et déclarations de revenus. Il va sans dire que le NIP (numéro d'identification personnel) de vos cartes de débit et de crédit est tout aussi confidentiel...

Vous vous demandez quel imbécile donnerait son NIP? Eh bien, sauf vous, moi et 86 % de la population canadienne, il y a encore 14 % (ce n'est pas rien!) des Canadiens[109] qui seraient enclins à partager cette information. De plus, 11 % seraient disposés à envoyer des renseignements sur leur carte de crédit par courriel, et 5 % à communiquer de l'information au cours d'un appel téléphonique qu'ils auraient reçu.

Vous aurez cependant remarqué que le Commissariat à la protection de la vie privée inclut vos habitudes de consommation sur la liste des informations à protéger. Une information qui peut paraître banale comparativement à d'autres, comme votre adresse ou votre numéro de carte de crédit. Ce sont cependant les comportements, en particulier les habitudes de consommation (ce que vous lisez, les émissions de télé que vous regardez, les magasins que vous fréquentez), qui ont le plus de valeur commerciale sur Internet.

Ceux qui s'intéressent à cette information, contrairement à ceux qui tentent de vous voler votre identité, ne sont pas des filous. Non. Ce sont des spécialistes du marketing. Je les connais, j'en ai formé un grand nombre. Alors que les bandits du Web pourraient être comparés à des frelons au dard acéré, les spécialistes du marketing Web ressemblent davantage à une nuée de moustiques. Pris individuellement, ils font peu de dommages, mais, en groupe, ils peuvent devenir assez énervants. Leur objectif, comme nous en avons parlé abondamment dans ce livre, est de construire votre profil de consommation, seuls ou avec d'autres commerçants. Ce profil les aidera à vous séduire au bon moment et avec les bons produits, afin de vous inciter à dépenser un maximum, dans la joie et sans douleur.

Face à cette nouvelle réalité, trois choix s'offrent à vous. Vous barricader et ne plus parler à personne de peur de révéler quoi que ce soit sur vous. Faire confiance au système et présumer que ceux qui se partagent ainsi l'information qu'ils obtiennent sur vous ne veulent que votre bien. Ou devenir proactif en vous posant quelques questions élémentaires.

La première avenue est évidemment utopique. Sur Internet comme dans la vie de tous les jours, arriver à ne jamais donner quelque renseignement que ce soit relève désormais du miracle. Il est néanmoins possible de réduire la quantité d'informations que vous donnez en naviguant sur le Web.

Pour ce faire, il suffit d'ajuster les préférences de votre fureteur Web.

1. Ouvrez la rubrique «Sécurité» et choisissez le plus haut niveau de protection.

2. Faites la même chose avec les témoins, les fenêtres surgissantes (*pop-ups*), l'hameçonnage et les autres options de protection de la vie privée. Si vous ne trouvez pas tous les contrôles qui vous intéressent, consultez la rubrique «Aide» de votre fureteur, où vous pourrez facilement faire une recherche par mots clés.

Ces opérations devraient, en principe, vous éviter d'être envahi par les maringouins du marketing. Si vous restreignez dès le départ la quantité d'informations que vous donnez, vous ne devriez pas être inondé d'offres commerciales non sollicitées.

Par contre, vous allez rapidement constater qu'Internet n'est plus l'endroit merveilleux et magique que vous connaissiez. Une foule d'éléments (photos, musique, vidéos, jeux, etc.) ne vous seront plus accessibles. Que vous ai-je dit au sujet du père Noël? Dans ce monde parallèle, le prix à payer pour obtenir de l'information est d'en donner soi-même. Ce qui est vrai pour le Web l'est encore plus pour les réseaux sociaux. Si vous voulez communiquer avec vos amis sur Twitter, Facebook ou tout autre réseau, vous avez intérêt à ne pas fermer entièrement votre profil. Et si vous voulez jouer à des jeux, participer à des concours ou utiliser d'autres applications sur Facebook, vous n'avez pas le choix de l'ouvrir au développeur qui vous les propose.

« TOUT SEMBLE EN ORDRE... POUR TERMINER,
J'AI JUSTE BESOIN DE QUELQUES
RENSEIGNEMENTS PERSONNELS! »

La deuxième option, ne rien faire en présumant que dans l'univers des données électroniques tout le monde est notre ami, peut sembler bête et ridicule. Pourtant, c'est un peu ce que font la plupart des citoyens. Dans une étude commandée par le Commissariat à la protection de la vie privée[110], on apprend que seulement la moitié (54 %) des Canadiens considèrent bien protéger leurs renseignements personnels en ligne.

Nos voisins américains ne font pas mieux. Une enquête du Pew Research Center[111] révèle que moins de 33 % des utilisateurs d'Internet prennent des mesures concrètes afin de protéger leur vie privée, et qu'ils sont à peine plus nombreux à savoir quoi faire afin d'y arriver.

Ce qui nous amène à la troisième option, qui est justement de prendre des mesures pour protéger sa sécurité et sa vie privée, tout en profitant pleinement du potentiel d'Internet. Un seul conseil : sachez qui sont vos vrais amis. Un conseil qui se décline de 10 façons.

1. Avant de communiquer des renseignements sur le Web, que ce soit sur un site, un blogue ou un réseau social, demandez-vous si vous seriez à l'aise de les confier à un quasi-inconnu. Votre numéro d'assurance sociale ? Votre NIP bancaire ? Vos photos ou vos histoires compromettantes ? Ces quatre éléments-là ne se partagent jamais. Compris ? *Ja-mais* !

2. Dans la vie de tous les jours, vous donnez votre numéro de carte de crédit, sa date d'expiration et même son code de sécurité à une foule de marchands. Du moins, à des marchands que vous connaissez ou qui vous inspirent confiance, et non à un vendeur itinérant dont vous n'avez jamais entendu parler. C'est simple : faites de même dans l'univers virtuel. Assurez-vous de l'identité du commerçant, de sa réputation et, le cas échéant, assurez-vous qu'il est accrédité par un organisme reconnu tel que eTrust.

3. À l'occasion, payez-vous le luxe d'effacer tous les témoins qui ont été placés sur votre ordinateur à votre insu. Cette fonction peut se trouver sous l'historique de navigation, dans les options de sécurité ou ailleurs dans votre fureteur. Je sais, je sais, les puristes vous diront de ne pas le faire, que vous allez détruire des données essentielles à la navigation. De fait, vous devrez fournir à nouveau certains mots de passe, notamment quand vous naviguerez sur des sites bancaires et de magasins ou

d'organismes publics que vous fréquentez régulièrement. En revanche, vous verrez le nombre de sollicitations non désirées chuter en flèche. Quand vous effacez tous les témoins, c'est un peu comme si vous étiez le Petit Poucet et que vous reveniez sur vos pas pour ramasser tous vos petits cailloux.

4. Si vous êtes un grand utilisateur des réseaux sociaux, pensez à ce que vous faites lorsque vous vous inscrivez sur Facebook, LinkedIn, Twitter ou ailleurs. L'information que vous donnez ou, pire encore, celle qu'on dépose sur votre page, sera difficile à contrôler ou à éliminer par la suite. HEC Montréal, par exemple, offre des séances d'information aux étudiants sur la façon dont les employeurs utilisent les différentes pages des candidats à un poste pour décider qui ils embaucheront. À cet égard, les photos prises à 4 heures du matin après le party de fin de session sont rarement un atout pour se trouver un emploi! Interrogez-vous sur le niveau de protection de la vie privée que vous désirez, et faites des choix en conséquence. À ce propos, avant d'accepter des «amis» commerciaux, demandez-vous ce qu'ils vous donneront et, surtout, ce qu'ils retireront de votre «amitié». Plus ces amis vous connaîtront, plus ils vous solliciteront. Idem pour les petits «pouces en l'air» sur les sites que vous visitez. Chaque fois que vous cliquez sur l'un de ces pictogrammes, vous laissez savoir vos préférences et contribuez à rendre votre profil de consommateur plus explicite. À ce rythme, le monde entier en saura bientôt plus sur vous que votre propre mère. C'est peut-être ce dont vous rêvez secrètement… Mais n'oubliez pas que le monde entier n'a pas l'indulgence de votre mère.

5. Les adresses de courriel sont souvent la cible de crapules. Si vous recevez un message de l'un de vos amis dont le texte ne semble pas avoir de sens, méfiez-vous. Remarquez, si vous avez des amis comme les miens, il vous sera peut-être difficile de distinguer ce qui est bizarre de ce qui ne l'est pas. Je vais donc être plus précis. Si un ami vous demande de lui envoyer 10 000 $ parce qu'il est quelque part au bout du monde et qu'il s'est tout fait voler, méfiez-vous. Ce n'est pas votre ami, même s'il fait autant de fautes que lui. Idem si vous recevez un courriel contenant uniquement un fichier joint. Ne l'ouvrez pas. Bien qu'en déclin, l'hameçonnage est une porte d'entrée encore fréquemment empruntée par les indésirables.

6. Avant de télécharger, mais surtout d'ouvrir et d'installer une application sur votre téléphone portable, votre ordinateur ou votre tablette numérique, de grâce, lisez le texte qui précède le bouton « J'accepte ». Je sais, ces textes sont longs, fastidieux et compliqués. Et vous avez très hâte de voir défiler la merveilleuse ligne bleue indiquant que le logiciel se télécharge sur votre ordinateur, et que l'application porteuse de tant de promesses vous sera accessible sous peu. Mais souvenez-vous que lorsque vous aurez cliqué sur « J'accepte », vous n'aurez que vous à blâmer pour les logiciels espions incrustés dans votre ordinateur. Vous les aurez acceptés !

7. N'utilisez pas de réseaux Wi-Fi non sécurisés si vous faites des transactions confidentielles. Les réseaux ouverts sont faits pour lire les éditoriaux d'Ariane Krol sur *Cyberpresse*. Pas pour payer vos factures sur AccèsD.

8. Si vous utilisez un ordinateur public, assurez-vous de tout nettoyer avant de partir. Pour ce faire, supprimez l'historique de navigation dont je vous ai parlé au conseil n° 3.

9. Souvenez-vous qu'utiliser un pseudonyme peut vous procurer une certaine forme d'anonymat, mais n'empêche pas la création d'un profil commercial à partir de vos comportements. En utilisant un pseudonyme pour certaines navigations – Dr Jekyll le jour et M. Hyde la nuit –, vous donnez encore plus d'informations aux spécialistes du marketing. Au lieu d'une nuée de moustiques, vous en aurez deux, ou même davantage, après vous.

10. Finalement, vérifiez de temps à autre qui possède de l'information à votre sujet – et surtout laquelle. Il existe de nombreux moyens de le faire, le plus simple étant de commencer par Google. Soumettez votre nom au moteur de recherche, pas uniquement pour le Web, mais aussi pour les blogues, les images et les vidéos. Vous pouvez aussi utiliser Ma présence sur le Web[112] pour voir les pages où votre nom, adresses courriels et pseudonymes apparaissent en ligne. Vous pourriez être surpris ! Cette fonction permet également de créer des alertes pour être prévenu lorsque des renseignements personnels sont publiés sur vous, et suggère des moyens pour supprimer les contenus indésirables (numéros de téléphone, photo embarrassante, etc.).

Vous pouvez aussi consulter des sites spécialisés comme isearch.com ou givememydata.com, ou encore utiliser les services payants d'une firme comme reputation.com. Là encore, vous pourriez être surpris, non seulement des renseignements qui circulent sur vous, mais aussi de l'inexactitude, voire de l'absurdité, de certains d'entre eux.

Vous vous demandez ce que les annonceurs pensent de vous ? Quel type de consommateur vous représentez à leurs yeux ? Plusieurs sites peuvent vous renseigner là-dessus dont BlueKai[113], eXelate[114] et la section « Préférences pour les annonces » de Google[115]. Ces sites donnent un aperçu des centres d'intérêt et des données démographiques utilisés pour vous cibler. Vous pouvez préciser et corriger ces profils, ou demander qu'ils ne soient plus utilisés par les partenaires de ces firmes.

◼ Conseil n° 5 : faisons payer les riches !

Lorsque j'étais étudiant, je croisais régulièrement des manifestations de confrères et de consœurs qui, tournant en rond avec des pancartes, scandaient ce slogan. Pour être honnête avec vous, je n'ai jamais participé à ces démonstrations publiques. Faire payer les riches ? L'argument, bien que noble et romantique, me mettait mal à l'aise. D'abord parce que, sauf grâce à une fiscalité mieux ciblée, je ne voyais pas de moyen d'y parvenir. Ensuite parce que, rêvant moi-même de devenir riche un jour, la perspective revendiquée ne me souriait pas vraiment.

Plus de 30 ans ont passé et, par un étrange retour de balancier, le commerce virtuel nous fournit peut-être enfin l'occasion de mettre ce principe en pratique. L'obsession des Google, Facebook, Twitter, Microsoft et autres de s'introduire dans notre vie privée, ajoutée à celle des annonceurs de nous rejoindre de manière personnalisée, nous permet de faire payer au moins ces riches-là. Autrement dit, si ces entreprises sont si habiles à nous épier, si elles sont prêtes à dépenser des fortunes pour concevoir de petits boutons, de petits pouces et de petits mouchards afin de nous suivre à la trace, pourquoi ne pas leur faciliter la tâche ? Pourquoi ne pas leur vendre ce que, de toute façon, elles viendraient nous voler ? Face à ces nouvelles technologies qui foncent sur nos vies privées avec la délicatesse d'un rouleau compresseur, deux stratégies sont possibles. Tenter de se barricader complètement, ou vendre notre information. Vous ne serez pas surpris de me voir militer pour la seconde.

Vouloir empêcher tout transfert d'information à des commerçants ou à des intermédiaires, que ce soit sur le Web, sur nos téléphones portables ou par le truchement d'un programme de fidélité, est aussi vain qu'inutile. À moins de n'utiliser aucun dispositif électronique et de tout payer comptant (et encore...), vous en aurez pour des heures et des heures de plaisir à essayer d'empêcher la constitution d'un fichier à votre nom. La tendance, à cet égard, est plutôt de forcer les entreprises à divulguer les informations détenues à votre sujet.

C'est l'une des orientations du projet de loi proposé par les sénateurs John Kerry et John McCain, qui ont réclamé un encadrement beaucoup plus strict de la cueillette et du partage de renseignements sur les citoyens. Dans la même veine, le gouvernement britannique a créé le programme Mydata, devant permettre aux consommateurs de savoir quelle information une entreprise possède à leur sujet, et de la récupérer dans un format facilement réutilisable (un fichier Excel, par exemple). Ils pourront, s'ils le souhaitent, la revendre ensuite à une autre entreprise[116]. Cela vous permettrait, par exemple, d'obtenir le relevé de tous vos achats et préférences enregistrés par le programme Optimum de Pharmaprix, et de le revendre à son concurrent Jean Coutu. Vous pourriez aussi dire à Pharmaprix de tout mettre à la poubelle et de ne plus jamais vous harceler, mais pour combien de temps ? Et qui vous dit que personne d'autre ne montera une base de données sur vous ? Mieux vaut faire payer les riches.

C'est en quelque sorte ce que mon collègue et ami Christian Dussart et moi proposions déjà il y a quelques années[117]. Depuis, plusieurs entreprises ont intégré cette idée à leur plan d'affaires. Des firmes telles MyCube[118], Personal ou Allow[119] donnent la possibilité aux consommateurs de vendre leurs informations à des annonceurs et à des commerçants. Le *Wall Street Journal* relate notamment le cas d'un client d'Allow, qui a permis à la firme d'agir comme courtier pour ses renseignements personnels[120]. Allow versant au consommateur 70 % de la somme facturée pour chaque information, ce client a reçu un chèque de 8,95 $ parce qu'une société émettrice de cartes de crédit avait souhaité le rejoindre.

142

Sceptique ? Je suis persuadé que cette tendance ira en s'accentuant, sous une forme ou une autre. Elle est tellement importante qu'elle a figuré à l'ordre du jour du prestigieux Forum économique de Davos, en janvier 2011. On y a notamment évoqué la possibilité de considérer l'ensemble des données personnelles comme « un actif réel », de manière à ce qu'il puisse faire l'objet de transactions[121].

Les inquiétudes des gouvernements à l'égard du profilage commercial sur Internet, et leurs efforts pour limiter cette pratique, pourraient d'ailleurs contribuer à changer les règles du jeu. Comme le faisait remarquer un analyste d'UBS dans une note aux investisseurs, la popularité des listes de numéros exclus[122] donne à penser que beaucoup de gens aimeraient qu'on les laisse tranquilles. Pourquoi l'une des plus importantes firmes de services financiers s'intéresse-t-elle à votre refus d'être traqué sur Internet ? Parce que votre décision risque de faire diminuer les revenus des sociétés qui exploitent votre profil[123] ! Bref, ces riches-là n'auront bientôt plus le choix : ils devront payer. Attendez, toutefois, avant d'inscrire cette nouvelle source de revenus dans votre budget…

◼ Conseil n° 6 : protégez vos enfants

Le marketing destiné aux enfants est, de loin, celui que je considère le plus discutable. Même si je vis dans une société où ces pratiques sont particulièrement bien encadrées[124], j'ai vu grandir mes propres enfants dans un monde de consommation. Or, il existe une littérature considérable sur les moyens d'influencer la consommation des jeunes et, même, sur la contribution de celle-ci à l'économie[125]. Dans les milieux traditionnels, ces achats peuvent toujours être surveillés, mais, dans le monde parallèle de la nouvelle économie, les choses se passent différemment.

Témoin, l'histoire de cette préado (un exemple parmi des centaines du genre), tombée dans une arnaque en visitant un site pour enfants[126]. La jeune fille, dont le cas a été exposé sur le site du magazine *Protégez-Vous,* clique sur un bandeau publicitaire qui lui fait miroiter la possibilité de gagner un iPad. Après avoir fourni la bonne réponse à une question simplissime, elle se fait demander un numéro de téléphone cellulaire. On l'informe alors qu'elle recevra, par messagerie texte, un « code PIN gratuit » à inscrire dans la zone du concours pour avoir la chance de gagner le iPad. En fait, la jeune fille a reçu un nouveau code chaque jour, sans se douter qu'on lui facturait 2 $ chaque fois qu'elle l'inscrivait au concours. Elle ne l'a appris qu'à la fin du mois : sa participation avait ajouté 40 $ au compte de son cellulaire !

Si, comme je l'ai souligné au chapitre précédent, les consommateurs n'ont pas l'âge mental d'un enfant de huit ans, il ne faudrait pas oublier que les enfants, eux, n'ont pas la capacité de discernement des adultes. De grâce, faites attention à eux. Ils sont, dans cette nouvelle économie, beaucoup plus vulnérables que nous l'étions à leur âge.

◘ Conseil n° 7 : consommez

Certes, le monde est de plus en plus complexe, et les marchands de plus en plus avides, mais ce n'est pas une raison pour entrer au monastère. N'arrêtez pas de consommer, je vous en prie, mais faites-le avec discernement.

D'autant que dans cette nouvelle économie, l'idéal n'est plus de consommer toujours davantage, mais de le faire de manière plus avisée. Si notre économie a besoin de votre consommation, elle n'a cependant pas besoin que vous vous endettiez à outrance. Au contraire, l'endettement excessif des consommateurs fragilise l'économie canadienne. Elle se portera bien mieux lorsque cette hypothèque sera levée.

En guise de conclusion

Nous voilà parvenus au terme de ce livre. Comme beaucoup de gens, dont mon éditeur, vous vous êtes peut-être demandé pourquoi je tenais tant à l'écrire. Pourquoi un type qui a passé sa vie à enseigner le marketing, et qui a conseillé de nombreuses entreprises dans l'élaboration de leurs stratégies, décide-t-il un beau matin d'exposer les dérives de sa profession ?

Pourquoi ai-je écrit ce livre ? Essentiellement parce que je sens à quel point, depuis plus de 20 ans, les relations entre consommateurs et marchands, entre citoyens et entreprises, deviennent de plus en plus inégales. Tout ce que j'ai fait, dans ma vie privée comme dans ma vie professionnelle, j'ai toujours tenu à le faire à visière levée.

Malheureusement, les citoyens, en particulier s'ils vivent dans un pays développé, sont désormais considérés, d'abord et plus que tout, comme des consommateurs. Des technologies permettent de savoir combien chacun vaut, et pour qui. Une fois marqué, l'érable n'a plus qu'à être entaillé. Si le marketing était un sport de chasse, nous serions passés en moins de 20 ans du tir à l'arc à l'assaut au lance-flammes.

C'est donc à vous que je pensais en écrivant ce livre. À vous, consommateur qui tentez de joindre les deux bouts, et à nos enfants qui auront à faire de même.

J'ai aussi pensé à vous, mes anciens étudiants, mes collègues et mes confrères. J'ai pensé qu'en partageant ces quelques réflexions, je pourrais vous rappeler que le marketing est un ensemble de méthodes et de moyens utilisés *pour répondre aux besoins des consommateurs*. L'avons-nous oublié en chemin? Nous nous ingénions à leur vendre des biens et services dont ils n'ont pas nécessairement besoin et qu'ils n'ont pas toujours les moyens de se payer. Sommes-nous capables de lire nos propres études de marché? Avons-nous le courage d'agir en fonction de ce que nous y voyons?

À force de nous acharner sur les mêmes vaches à lait que nous connaissons si bien, nous négligeons des millions de clients potentiels. L'Amérique du Nord vieillit, la population du Québec encore plus rapidement. Connaissons-nous les besoins des personnes âgées? Des immigrants moins fortunés, mais essentiels au développement économique de notre pays? Que savons-nous des consommateurs des pays émergents? En vérité, nous connaissons peu ces marchés, et nous nous y intéressons encore moins.

Permettez que je nous lance un défi: celui de concevoir, pour ces segments réellement en croissance, des stratégies de marketing économiquement viables qui soient irréprochables au plan éthique.

C'est un programme ambitieux, je vous le concède, mais qui, à moyen terme, sera sans doute beaucoup plus rentable que de s'acharner sur les mêmes segments de marché toujours plus exsangues. Ce sera aussi une bonne façon de ne plus entendre cette phrase que nous haïssons tant: «Ce n'est que du marketing!» Surtout quand nous savons trop bien qu'au fond les consommateurs se disent «Ils veulent mon bien… et si je ne fais pas attention, ils vont l'avoir!»

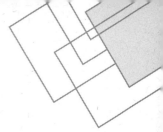

Notes

1   Jacques NANTEL et Abdel Mekki BERRADA, « Le Nirvana du marketing », *La Presse*, 25 janvier 2004, p. A7.

2   Ce roman, *The Clansman,* est l'un des pires que j'aie lu de ma vie. Il m'a néanmoins fourni, pour à peine 18 $, l'introduction que je cherchais pour ma conférence à venir.

3   Nick WINGFIELD, « Leading the News : Amazon's Loss Narrows Sharply on 21 % Sales Rise », *The Wall Street Journal* (Eastern edition), 24 avril 2002, p. A3

4   Kayla WEBLEY, « A Brief History Of Online Shopping », *Time*, 16 juillet 2010. Consulté le 2 septembre 2011 : http://time.com/time/business/article/0,8599,2004089,00.html.

5   STATISTIQUE CANADA, *CANSIM, Tableau 380-0061.*

6   STATISTIQUE CANADA, *CANSIM, Tableau 176-0041.*

7   Pour une excellente analyse de cette situation, voir : STATISTIQUE CANADA, *Comptes nationaux des revenus et dépenses : tableaux de données*, en particulier le tableau 57, « Indicateurs du service de la dette, particuliers et entreprises individuelles », publication n° 13-019-XWF, vol. 4, n° 1, 30 mai 2011.

8   ASSOCIATION CANADIENNE DE LA PAIE, *Les travailleurs canadiens vivent d'un chèque de paie à l'autre – L'économie, les dettes et la retraite préoccupent les employés,* 13 septembre 2010, www.newswire.ca/en/releases/archive/September2010/13/c8915.html.

9   Au cas où il y aurait un économiste dans la salle, je me dois de vous dire que mon équation est tronquée. Le PIB, tel que mesuré par les dépenses des agents économiques, est dans les faits calculé comme suit : PIB = Dépenses des ménages + Dépenses publiques et gouvernementales + Dépenses des entreprises privées + (Exportations - Importations). Je ne considère pas ces deux derniers éléments, car leur effet est plutôt neutre sur la tendance dont il est question ici, c'est-à-dire la part grandissante de la consommation des ménages dans l'équation du PIB.

10   STATISTIQUE CANADA, *CANSIM, Tableaux 2030004, 2030005, 2030007 et 2030010,* « Enquête sur les dépenses des ménages ».
Les augmentations présentées sont en partie dues à une hausse du nombre de ménages qui consomment le produit ou le service (le taux d'abonnement à Internet est par exemple passé de 13 % à 74 %), ainsi qu'à une augmentation de la dépense annuelle moyenne des ménages qui le consomment (la dépense annuelle pour Internet est passée de 216 $ en 1997 à 464 $ en 2009).

11   INTERNETRETAILER.COM, « Top 500 Guide. 2011 Edition ». Consulté le 2 septembre 2011 : www.internetretailer.com/top500/online/.

12   L'exemple est réel et correspond à une hypothèque de 250 000 $ majorée à 300 000 $, à un taux annuel de 4 %.

13   Robbie WHELAN, « Second-Mortgage Misery – Nearly 40 % Who Borrowed Against Homes Are Underwater », *The Wall Street Journal*, 7 juin 2011, page A1.

14   H. GRATHWOHL, « Planned Obsolescence and Resource Allocation », *Journal of Contemporary Business*, vol. 4, n° 1 (hiver 1975).

15   The bulldozer of Bentonville slows ; Walmart », *The Economist*, vol. 382, n° 8 516 (février 2007). Consulté le 2 septembre 2011 : www.economist.com/node/8714420.

16   La récession qui s'est abattue sur les États-Unis l'année suivante a amené chez Walmart des millions de nouveaux clients, soudainement très intéressés par ses bas prix.

17   Melanie WARNER. « Wal-Mart Extending Dominance of the Grocery Business », *The New York Times,* 3 mars 2006. Consulté le 2 septembre 2011 : www.nytimes.com/2006/03/03/business/03walmart.html/.

18   R. GIL et W. R. HARTMANN, « Empirical Analysis of Metering Price Discrimination : Evidence from Concession Sales at Movie Theaters », *Marketing Science*, vol. 28, n° 6 (novembre-décembre 2009).

19   STATISTIQUE CANADA, *Les habitudes de dépenses au Canada*, Rapport annuel, décembre 2010, N° au catalogue : 62-202-XWF, www.statcan.gc.ca/bsolc/olc-cel/olc-cel?catno=62-202-XIF&lang=fra#formatdisp.

20   Voir les sites suivants : G5 demographicsCANADA.ca, http ://demographicscanada.ca/Canadian %20MOSAIC %20Group %20Descriptions.pdf, et nadbank.com, www.nadbank.com/sites/default/files/fckeditor/IntoàNADbank.pdf, p. 46.

21   PRINCETON SURVEY RESEARCH ASSOCIATES INTERNATIONAL, *Broadband Adoption and Use in America*, présenté à la Federal Communications Commission, 23 février 2010.

22   Ce cas est relaté dans l'excellent article de Joel STEIN, « Data Mining : How Companies Now Know Everything About You », *Time*, 10 mars 2011. Consulté le 2 septembre 2011 : www.time.com/time/magazine/article/0,9171,2058205,00.html/.

23   Voir note 22.

24   La *racitura* est une recette typiquement roumaine. Il y a autant de façons de l'apprêter qu'il y a de restaurants à Bucarest. Les seuls points communs demeurent : le porc, la semoule (*mamaliga*) et l'œuf. Toute combinaison ou permutation de ces ingrédients, agrémentée de tout autre de votre choix, donne une expérience mémorable : la *racitura*.

25   Ces chiffres sont ceux de l'Association des banquiers canadiens. « Statistiques sur les cartes de crédit – VISA et Mastercard, Tableau DB 38 », www.cba.ca/contents/files/statistics/stat_cc_db038_fr.pdf, février 2011.

26   *Idem.*

27   Voir à ce sujet le rapport de la firme Deloitte intitulé « Sécurité des données cartes de crédit. Adopter lè standard PCI DSS », 2009.

28   Rolph E. ANDERSON et Srinivasan SWAMINATHAN, « Customer Satisfaction and Loyalty in E-Markets : A PLS Path Modeling Approach », *Journal of Marketing Theory and Practice*, vol. 19, n° 2 (printemps 2011), p. 221.

29   Si vous pensez qu'avoir une adresse Gmail plutôt que Hotmail vous évite ce problème, je suis navré de vous apprendre que Google se sert aussi de ses adresses Gmail aux fins de profilage collaboratif. Le père Noël, je vous le rappelle, n'existe pas. Pour les utilisateurs d'adresses Yahoo! non plus, d'ailleurs.

30   Le programme Profit Impact of Marketing Strategy (PIMS) a marqué les années 1980. Il était à l'époque systématiquement présenté ou cité dans la grande majorité des livres portant sur le marketing stratégique.

31   Voir à ce sujet Shaun REIN, « Get Rid Of Jackass Clients », *Forbes.com*, 18 septembre 2009, www.forbes.com/2009/09/16/jackass-client-customer-leadership-managing-firing.html.

32   Germaine Lauzon est ce magnifique personnage créé par Michel Tremblay dans *Les Belles-Sœurs* et qui avait gagné un million de timbres-primes.

33   Lars MEYER-WAARDEN et Christophe BENAVENT, « Grocery retail loyalty program effects : self-selection or purchase behavior change ? », *Journal of the Academy of Marketing Science*, n° 37 (2009), p. 345-358.

34   Voir le communiqué d'Aéroplan à ce sujet (3 décembre 2007) : www.newswire.ca/fr/releases/archive/December2007/03/c6719.html/.

35   Selon l'information affichée sur le site du programme le 1er mai 2011, www1.aeroplan.com.

36   Ron LIEBER, « Too Young for Finance ? Think Again », *The New York Times*, 15 avril 2011, p. B1.

37   STATISTIQUE CANADA, *Enquête canadienne sur les capacités financières*, Rapport n° 18-505 XCB, 1er février 2011.

38   P. C. CHU et Eric E. SPIRES, « Does Time Constraint on Users Negates the Efficacy of decision Support Systems ? », *Organizational Behavior and Human Decision Processes*, vol. 85 n° 2 (2001), p. 226-249.

39   STATISTIQUE CANADA, *CANSIM, Enquête sociale générale, Tableau 113-1001.*

40   FACEF, *Rapport final* (sondage commandé par la FACEF sur les jeunes et le crédit, Jolicœur et associés), novembre 1997.

41   Césaire MEH et autres, « Household debt, Assets, and Income in Canada : A Microdata Study ». Banque du Canada, Document d'analyse 2009-7, 2009.

42   L'étude de la Banque du Canada ventile les données en trois catégories d'âge, soit 31-35 ans, 36-40 ans et 41-45 ans. Afin de rendre la donnée compatible avec celles de Statistique Canada, et pour rejoindre les conclusions de l'étude de la Banque du Canada, nous regroupons ici les données en deux catégories.

43   On peut visionner cette vidéo en allant à l'adresse suivante : http://video.nytimes.com/video/2011/04/15/business/100000000776361/talking-money-with-elmo.html/.

44   C. HEATH et J. B. SOLL, « Mental Budgeting and Consumer Decisions », *The Journal of Consumer Research,* n° 23 (1996), p. 40-52.

45   A. CHEEMA et D. SOMAN, « Malleable mental Accounting : The Effect of Flexibility on the Justification of Attractive Spending and Consumption Decisions », *Journal of Consumer Psychology,* vol. 16, n° 1 (2006), p. 33-44.

46   Voir la note 44.

47   Pour une excellente synthèse, voir M. A. KAMINS, Valerie S. FOLKES et Alexander FEDORIKHIN, « Promotional Bundles and Consumers' Price Judgments : When the Best Things in Life are not Free », *Journal of Consumer Research,* vol. 36, décembre 2009, p. 660- 670.

48   ECONSULTANCY, *Internet Statistics Compendium,* avril 2011.

49   Magazine Publishers of America (MPA), *Consumer marketing Survey, Subscription Sales on the Internet,* 2010.

50   E-TAILING GROUP, *10th Annual Merchants Survey,* 2011.

51   Mon Mannequin Virtuel a fait faillite en novembre 2009. Des investisseurs ont racheté ses brevets et marques de commerce dans le but de relancer une entreprise similaire sous le même nom.

52   À www.dimemtl.com/.

53   SONY ERICSSON, « Sony Ericsson today launches a worldwide Facebook competition aimed at finding the ultimate reviewer », *Reuters.com,* 19 mai 2011, www.reuters.com/article/2011/05/19/idUS187011+19-May-2011+HUG20110519.

54   L'un des livres les plus utiles pour aider à mieux comprendre la fonction des réseaux sociaux est sûrement celui de Michelle Blanc, *Les médias sociaux 101 – Le réseau mondial des beaux-frères et des belles-sœurs,* Montréal, Éditions Logiques, 2010. Je tiens ici à saluer Michelle Blanc, qui a été l'une de mes étudiantes et qui a toujours (même pendant ses études) su être tantôt inspirante, tantôt provocante, en demeurant toujours pertinente.

55   Susanne CRAIG et Andrew Ross SORKIN, « Goldman Offering Clients a Chance to Invest in Facebook », *The New York Times,* 2 janvier 2011, http://dealbook.nytimes.com/2011/01/02/goldman-invests-in-facebook-at-50-billion-valuation/.

56   Geoffrey A. FOWLER et Anupreeta DAS, « Facebook Numbers Feed IPO Outlook », *Wall Street Journal,* 1er mai 2011. Consulté le 2 septembre 2011 : http://allthingsd.com/20110501/facebook-numbers-feed-ipo-outlook/.

57   Nicole PERRIN, « US Digital Ad Spending : Online, Mobile, Social », *eMarketer,* avril 2011.

58   Brian WOMACK, « Facebook Increases Ad Prices 40 % on Rising Popularity, Marketing Firm Says », Bloomberg, 11 avril 2011.

59   « Facebook Display Revenues to Nearly Double This Year », *eMarketer,* 20 juin 2011.

60   PEOPLE FROM COSSETTE, « Social media study report », novembre 2009. Consulté le 5 mai 2010 : www.slideshare.net/luccormier/social-media-study-2009-by-people-from-cossette-2666286/.

61   Brad STONE, « Facebook sells your friends », *Bloomberg Businessweek,* 22 septembre 2010, www.businessweek.com/magazine/content/10_40/b4197064860826.htm.

62 Pour en savoir plus sur la façon dont vos amis «aident» les gens qui font du marketing, voici deux ouvrages : Paul DUNAY et Richard KRUEGER, *Facebook Marketing for Dummies*, Hoboken N.J, Wiley Publishing, 2011 ; et Liana EVANS, *Social Media Marketing*, Indianapolis, Que Publishing, 2010.

63 La combinaison de bases de données provenant d'entreprises et de réseaux sociaux est sûrement l'un des défis techniques les plus importants auxquels les spécialistes du marketing s'attaquent en ce moment. Un article sur le sujet : Neil WOODCOCK et autres, «The Evolving Data Architecture of Social Customer Relationship Management», *Journal of Direct, Data and Digital Marketing Practice*, vol. 12, n° 3, p. 249-267.

64 Amir EFRATI, «Like Button Follows Web Users», *The Wall Street Journal*, 9 mai 2011, p. B1.

65 «Ways that US Female Social Network Users Hear About Daily Deals on Facebook» (sondage effectué par la firme Eversave, mars 2011). *eMarketer*. Consulté le 4 mai 2011.

66 Pour une analyse percutante de cette histoire, lisez l'excellent article dont mon collègue Yany Grégoire qui est l'un des coauteurs. Un incontournable pour tout spécialiste du marketing qui veut survivre et progresser dans le monde complexe des réseaux sociaux : Thomas M. TRIPP et Yany GRÉGOIRE, «When Unhappy Customers Strike back on the Internet», *MIT Sloan Management Review*, vol. 52, n° 3 (printemps 2011), p. 37-44.

67 Malcolm GLADWELL, *Le point de bascule*, Montréal, Les Éditions Transcontinental, 2003.

68 Pour une description des divers profils de gens d'influence, voir : Anik ST-ONGE et Jacques NANTEL, «Are You Connected? Portrait of the Virtual Connector in Online Cultural Communities», *European Advances in Consumer Research*, vol. 8, n° 1, p. 20.

69 Si la chose vous intéresse, je vous invite à consulter le site *Takemetoyourleader.com*, qui propose des moyens de déterminer les personnes ayant le plus d'influence au sein d'un réseau social.

70 Laurence C. THÉRIAULT, «Le SPVM aura les plaques à l'œil», *Le Devoir*, 31 mai 2011, p. A4.

71 «Unilever : Ice cream served with a smile». Communiqué de presse, 25 mai 2010, www.unilever.com/mediacentre/news/icecreamsmile.aspx/.

72 Ne m'en veuillez pas de cet exemple stéréotypé, il vient du patron d'Immersive Labs. Laurie SEGALL, «Ads that analyze and target you personally», *CNN Money*, 21 avril 2011, http ://money.cnn.com/2011/04/14/technology/immersive_labs_targeted_ads/index.html/.

73 Don PEPPERS et Martha ROGERS, *The One to One Future*, New York, Doubleday, 1996.

74 Nicole PERRIN, «Traditional Media : Dollars and Attention Shift to Digital», *eMarketer*, mai 2011.

75 Ces données sont celles du Interactive Advertising Bureau of Canada, www.iabcanada.com/pr-news/2009-internet-revenue-survey.

76 SOCIETY OF DIGITAL AGENCIES ET ANSWERLAB, «2011 Digital Marketing Outlook», février 2011.

77 Marie-Claude DUCAS, «La pub a-t-elle un avenir? », *Le Devoir*, 7 février 1998, p. C3.

78 «The Global Media Intelligence Report : North America», *eMarketer*, septembre 2010.

79 IAB CANADA. CMUST 2009 (Canadian Media Usage Study PMB, BBM/RTS, NADbank, comScore, Nielsen Combined).

80 Jack HONOMICHL, «2011 Honomichl Top 50 Report», *Marketing News*, vol. 45, n° 8 (30 juin 2010), p. 11

81 BARNES REPORT, *2011 U.S. Marketing Research & Public Opinion Polling Report – Jobs & Wages Report, Research & Markets*, mai 2011.

82 Voir la note 79.

83 Idem note 80.

84 C'est, selon moi, l'un des 10 articles scientifiques les plus marquants de l'histoire du marketing. Charles S. TAPIERO, «A Stochastic Model of Consumer Behavior and Optimal Advertising», *Management Science*, vol. 28, n° 9 (septembre 1982), p. 1054.

85 L'approche stochastique utilise des calculs probabilistes dynamiques effectués à partir d'événements récents. Les prévisions de la météo, par exemple, sont basées sur ce type de modélisation.

86 Serge MOSCOVICI, *L'âge des foules – Un traité historique de psychologie des masses*, Paris, Fayard, 1985.

87 Jean PIAGET, *Six études de psychologie*, Paris, Gallimard, 1987.

88 Pour un bon résumé du travail de Mischel, je vous recommande l'article suivant : Jonah LEHRER, « Don't », *The New Yorker*. Consulté 3 septembre 2011 : www.newyorker.com/ reporting/2009/05/18/090518fa_fact_lehrer/.

89 Guilherme LIBERALI, Thomas S. GRUCA et Walter M. NIQUE, « The effects of sensitization and habituation in durable goods markets », *European Journal of Operational Research*, vol. 212, n° 2 (juillet 2011), p. 398.

90 « New iPad Personal Budgeting App Revolutionizes the Way Consumers Pay Off Debt Without Changing Their Spending Habits », *The Pak Banker*, 20 mars 2011.

91 STATISTIQUE CANADA, *Comptes économiques canadiens, premier trimestre de 2011 et mars 2011*, 30 mai 2011.

92 John GREENWOOD, « Banks face lending squeeze », *Financial Post*, 27 mai 2011, p. FP1.

93 BMO GROUPE FINANCIER, *Présentation destinée aux investisseurs – T2 - 11*, 25 mai 2011.

94 Jean-François NÉRON, « Clotaire Rapaille s'expliquera avec le maire Labeaume lundi », *Le Soleil*, 28 mars 2010. Consulté le 3 septembre 2011 : http://www.cyberpresse.ca/le-soleil/dossiers/quebec-et-son-image/201003/28/01-4265096-clotaire-rapaille-sexpliquera-avec-le-maire-labeaume-lundi.php.

95 Jacques NANTEL et William WEEKS, « Corporate codes of ethics and sales force behavior : A case study », *Journal of Business Ethics*, vol. 11, n° 10, p. 753-760.

Jacques NANTEL et William WEEKS, « Marketing ethics : is there more to it than the utilitarian approach ? », *European Journal of Marketing*, vol. 30, n° 5, p. 9-19.

Jacques NANTEL et William WEEKS, « L'éthique en marketing : d'une approche utilitariste à une approche déontologique », *Gestion*, vol. 16, n° 2, p. 57-63.

96 Dans les années 1940, une publicité du géant américain du tabac R.J. Reynolds montrait l'image d'un médecin, cigarette à la main, accompagnée du slogan « More doctors smoke Camels than any other cigarette! »

97 Également dans la publicité des Camels, on a eu recours, jusqu'en 1997, à une mascotte aux allures de personnage de bandes dessinées, Joe Camel. Cette publicité a donné lieu à l'une des poursuites les plus épiques de l'histoire américaine, « Mangini v. R. J. Reynolds Tobacco Company », qui a amené le fabricant à abandonner cette stratégie. On pourrait aussi mentionner le débat au Québec, en 2011, sur les cigarillos aromatisés, très populaires auprès des jeunes.

98 L'Association canadienne du marketing offre de nombreux exemples de codes de déontologie sur son site Web www.the-cma.org/french.

99 Voir à ce sujet le très bon livre *L'entreprise infidèle*, de Léger Marketing, Montréal, Les Éditions Transcontinental, 2009.

100 Voir à ce sujet *La nouvelle économie : mythe ou réalité ? Rapport final sur le projet de l'OCDE consacré à la croissance* (2001).

101 André-Jean GUÉRIN et Thierry LIBAERT, *Le développement durable*, Paris, Dunod, 2008.

102 Agustino FONTEVECCHIA, « Google Taking Over 40 % of Total U.S. Online Ad Spend », *Forbes*, 21 juin 2011.

103 NPD GROUP, « US P2P Music Downloaders, Q4 2007 & Q4 2010 (millions and % of Internet users). *eMarketer*, 23 mars 2011.

104 Music Publishing Revenue Share Worldwide of Major Record Companies, 2009 & 2010. Informa Telecoms & Media. « Music & Copyright », *eMarketer*, 23 mars 2011.

105 Voir la note 90.

106 Voir la note 8.

107 Voir la note 13.

108 Voir le site Web de l'organisme www.priv.gc.ca/information/02_05_d_08_f.cfm.

109 VISA CANADA, « Des Canadiens de plus en plus avisés, mais que la fraude continue d'inquiéter », 23 février 2011, www.newswire.ca/fr/releases/archive/February2011/23/c5064.html.

110 LES ASSOCIÉS DE RECHERCHE EKOS, *Les Canadiens et la vie privée – Rapport final présenté au Commissariat à la protection de la vie privée du Canada*, mars 2009, www.priv.gc.ca/information/survey/2009/ekos_2009_01_f.pdf.

111 Mary MADDEN et Aaron SMITH, *Reputation Management*, Pew Research Center, septembre 2009 (http://www.pewinternet.org/Reports/2010/Reputation-Management/Summary-of-Findings.aspx).

112 Cet outil est offert avec le service Google Dashboard. Il faut donc avoir un compte Google pour y accéder. Vous pouvez en créer un en quelques minutes avec n'importe quelle adresse courriel.

113 Voir http://bluekai.com/registry.

114 Voir http://exelate.com/new/consumer-privacy.

115 Voir www.google.com/ads/preferences/?hl=fr.

116 Richard THALER, « Show Us the Data. (It's ours, After All.) », *The New York Times*, 23 avril 2011, p. BU4.

117 Christian DUSSART et Jacques NANTEL, « L'Évolution du marketing : retour vers le futur », *Gestion*, vol. 32, n° 3 (automne 2007) p. 66-75.

118 David ZAX, « Should Facebook pay you? Or : How to Monetize Friends and Charge People », *Fast Company*, 20 mai 2011, www.fastcompany.com/1754416/what-if-facebook-paid-you-for-your-data.

119 Julia ANGWIN et Emily STEEL, « Web's Hot New Commodity : Privacy », *The Wall Street Journal*, 28 février 2011, p. A1.

120 *Ibid.*

121 *Ibid.*

122 La Liste nationale de numéros de télécommunication exclus (https://www.lnnte-dncl.gc.ca) est un service gouvernemental où vous pouvez inscrire vos numéros de téléphone pour ne plus recevoir d'appels de télémarketing. Seules quelques organisations (causes charitables, partis politiques, journaux, entreprises avec lesquelles vous faites affaires) auront alors encore le droit vous contacter. Ce système réduit donc considérablement la sollicitation téléphonique à l'heure du bain des enfants.

123 Bob FALKNER, « The right to oblivion? », UBS Financial Services, 18 avril 2011.

124 Les dispositions de la *Loi sur la protection du consommateur* interdisant la publicité aux moins de 13 ans font l'envie de bien des pays. Je vous recommande à cet effet le document « Vos enfants et la pub », publié par l'Office de la protection du consommateur, www.opc.gouv.qc.ca/Documents/Publications/SujetsConsommation/FinancesAssurances/PubliciteTrompeusePratiques/EnfantsPub/EnfantsPub.pdf.

125 L'un des ouvrages les plus utilisés demeure *Kids as Customers : A Handbook of Marketing to Children*, de James U. McNeal, Lanham, Lexington Books, 1992, 272 pages.

126 Stéphan DUSSAULT, « Cas vécu : comment arnaquer une enfant en sept étapes faciles », *Protégez-Vous*, mai 2011, www.protegez-vous.ca/affaires-et-societe/cas-vecu-arnaquer-enfant.html.